OCTAVIO PAZ

JORGE RODRIGUEZ PADRON

OCTAVIO PAZ

COLECCION LOS POETAS

EDICIONES JUCAR

Cubierta: *Jas Hayden*
Fotografías: *Cortesía de O. P. y Archivo Júcar*

Derechos de la presente edición, EDICIONES JUCAR, 1975
Ofelia Nieto, 75. Madrid-29 y Ruiz Gómez, 10. Gijón.
I. S. B. N.: 84-334-3017-3
Depósito legal: M. 19.122-1976
Impreso en España por Mateu Cromo, S. A. Ctra. de Pinto
a Fuenlabrada, s/n. Pinto (Madrid).
PRINTED IN SPAIN

A
Pizca,
a Jorge y a Gonzalo.
A
mis padres.

I

INTRODUCCION

Siempre tuve cierta prevención al iniciar este trabajo. La personalidad y la obra de Octavio Paz resultan tan sugestivas que el peligro de la consagración ditirámbica acechaba a cada revuelta del camino. El propio escritor parece prevenirnos al respecto cuando confiesa su inquietud porque a los artistas hoy se les suela «embalsamar en vida»; porque se «han vuelto ogros de feria, espantapájaros. Y las obras: monstruos en plástico, recortados, empacados, rotulados y provistos de toda clase de certificados para atravesar las aduanas morales y estéticas. Monstruos inofensivos» (1).

Mal se me ponían las cosas. Mis temores eran fundados, sobre todo en cuanto comprendemos que una obra como la de Octavio Paz, fiada y fundada en la pasión crítica, en la necesidad de hacer frente a la sociedad acomodaticia que la acoge en su seno (mejor, que se inquieta e incomoda por sentirla dentro de sí), no puede ser objeto de una parcelación, de una sintetización o esquematismo convencionales, pues si algo es, por encima de toda otra cosa, es la negación incuestionable de esquemas, sistemas y teorías. Sin embargo, hay muchas razones para que un estudio sobre Octavio Paz no sea nunca ocioso, al margen, incluso, de la excepcional calidad de su obra de creación y de su no menos singular obra crítica.

9

Valdría simplemente el testimonio de admiración hacia su trabajo y hacia su personalidad, valdría simplemente la amplitud profunda de esa obra, valdría, por último, señalar que el conocimiento de Octavio Paz es imprescindible para entender, en un elevado tanto por ciento, los problemas y cuestiones más debatidos de la actual literatura escrita en castellano. Pero si todo esto pudiera parecer algo aleatorio, poco materializable, poco referido a la literatura y mucho a los impulsos del entusiasmo y admiración que ha despertado el poeta mexicano en la generación literaria más joven, podríamos añadir todavía otra circunstancia más, igualmente digna de señalarse como justificación de este estudio que me propongo hacer sobre el escritor. Hablo de la constante investigación a que Octavio Paz somete su trabajo de escritor, la constante renovación que se impone, a cada paso, y —consecuentemente— el hecho de que su obra discurra siempre en esa zona peligrosa para muchos, resbaladiza siempre, que es la pugna fronteriza con las posibilidades que hay más allá de lo que se ha conocido y conseguido. A los sesenta años de su vida, Octavio Paz es un ejemplo de escritor en marcha, de escritor con poderoso aliento creador, sin que la frase adquiera ninguna connotación estereotipada. No es común que un escritor reúna todas estas circunstancias, al margen, como ya he dicho, de la específica calidad de su obra.

Así, la obra de Octavio Paz se aparece siempre como algo totalmente abierto a la sorpresa, a la novedad sugerente, al enfoque inédito de viejos problemas literarios o culturales, en el más amplio sentido. Puede que la interpretación que de ellos da nuestro escritor no contente a todos; puede ser que hasta él mismo se sienta insatisfecho y continúe inquiriendo sobre las posibilidades que aún le brinda ese trabajo. Zdenek Kourim advierte que Octavio Paz nunca explica, sino que «hace, interroga la realidad o, más precisamente, lo que se manifiesta en su nombre» (2).

Ahora bien, no podemos dudar que esta suerte de riesgo que corre Octavio Paz como poeta, y como crítico, es algo necesario, y válido, a todas luces. No creo que deba considerarse como disminución de la autenticidad y de la palpitación existencial, la incorporación de elementos irracionales en su poesía, ni tampoco que esa constante rebelión en favor de nuevas revelaciones suponga —como piensan algunos— una fácil concesión, una debilidad en el rigor crítico; o que sea —como también se ha dicho— una solución truculenta de indiscutible brillantez, pero de escasa consistencia científica (3). Y no comparto esas opiniones porque me parece que queda bien clara la intención del escritor: poner límites a su trabajo para ir superándolos sucesivamente; queda bien claro que Octavio Paz no ha agotado los materiales, ni la combinación de los mismos en el poema, sino que está muy atento a ella y apura todas las soluciones que le salen al paso. Oigámosle:

> Se repite desde hace años que la pintura abstracta ha llegado a su límite: no hay un más allá. No me parece justo: lo que distingue a los grandes movimientos artísticos es su radicalismo, su ir más allá siempre, hasta tocar el final, los límites del límite. En ese instante llega, da un salto, descubre otro espacio libre y, de nuevo, tropieza con un muro. Hay que saltarlo, ir más allá. No hay regreso (4).

Y estas dificultades y estos riesgos que el escritor acepta suponen un reto indiscutible a la realidad y a la palabra. Porque Octavio Paz es un escritor que, al mismo tiempo que pone en práctica el discurso, va desarrollando la crítica de esa creación; justifica, nunca de forma marginal, sino con el propio lenguaje, su acción sobre el mismo (5).

Y esto es lo que le confiere, precisamente, su singularidad: haber roto el concepto tipificado del escritor tradicional que ya ha conocido y aceptado unas determinadas fórmulas, y que debido a la manipulación más o menos ingeniosa de las mismas, viene a ser considerado un *clásico*. No me parece éste un término adecuado para caracterizar la actitud de Octavio Paz. Y no porque él no crea en los clásicos (todo lo contrario), sino porque no es un escritor clásico en la forma que entendemos por tales a esos artistas encerrados en las historias y en los manuales al uso; clásicos que sólo pueden ser objeto de reverencioso acatamiento, de petrificada referencia, sin que estemos obligados a plantearnos frente a ellos nuevos problemas ideológicos y formales. «Yo no veo —declara Octavio Paz— una gran diferencia entre la llamada literatura de experimentación y la llamada literatura tradicional. Si la literatura de experimentación es realmente literatura es tradicional y si la literatura tradicional es realmente literatura es experimentación. Lo demás no es literatura, es otra cosa» (6).

Tras la lectura de cualquier texto de Octavio Paz sucede siempre lo mismo: una especie de desasosiego, de intranquilidad, una creciente curiosidad por llegar a percibir todas esas cosas que el escritor mexicano nos propone de una manera abundante y abrumadora. Me atrevería a decir *barroca* si el término no se prestase a confusiones. Bien sé que para Octavio Paz el barroco es algo tan importante y sustancial que esta caracterización resultaría exacta. No nos podemos olvidar que el barroco es uno de los rasgos determinantes de la expresión americana. Lezama Lima hace atinadísimas apreciaciones al respecto en su libro del mismo título (7). Mas también sucede que, tras esa lectura, nos es posible llegar a aquel punto de conjunción, de comunión, que Paz propone —y defiende— a lo largo y ancho de su trabajo: la lectura como lugar de convivencia, como posibilidad de acceso al pleno conocimiento que, a cada paso, se enmascara y se diluye entre la palabra («las palabras no son las cosas: son los puentes que tendemos entre ellas y nosotros»).

Hasta aquí hemos hablado —muy someramente— de rasgos, de ideas e instrumentos, que perfilarán los caracteres más señalados de la obra de Octavio Paz. Hemos hablado del lenguaje, hemos hablado del especial clasicismo de su obra, hemos hablado del barroquismo, y hemos hablado finalmente de la lectura, de la presencia del lector, en esa convocatoria que es la creación literaria. Pero no es difícil darse cuenta que, en definitiva, todo gira en torno a una sola cuestión que las abarca todas: la relación entre el escritor y la obra, entre el escritor y el instrumento de su trabajo, entre el escritor y su experiencia como tal. Esta autonomía de la obra, que el escritor salvaguarda a toda costa, lo lleva, por el camino de la poesía, hasta la investigación sobre el espacio del poema y las posibles significaciones del mismo. Es curioso que estas acciones revolucionarias sobre el lenguaje literario (al margen de las posibles implicaciones socio-históricas de la literatura) se hayan introducido en el mundo literario hispánico a partir de una renovación en la literatura española de América. Tanto el modernismo con la arrolladora presencia de Rubén Darío, como el vanguardismo con la nunca bien estudiada figura de Vicente Huidobro, como la desgarrada visión de César Vallejo, como —en última instancia— la desbordante personalidad del enorme Pablo Neruda («lo que tiene de intensidad física, de espesura natural y aterradora monotonía geográfica la poesía del chileno»), y la gran conquista de los nuevos narradores hispanoamericanos, han sido lecciones inestimables, aún no asimiladas con el rigor que merecen, para la literatura escrita en castellano.

Es ya una verdad indiscutible que la llegada de los narradores hispanoamericanos a la literatura peninsular supuso un encuentro no ya con unos determinados escritores y unas determinadas obras, que fue lo que en principio se pensó, y lo prefiguró una falsa óptica de la cuestión entre nuestros críticos, sino que fue el encuentro con un tratamiento del lenguaje narrativo (y no sólo narrativo) que aclaraba mucho las posibilidades revulsivas de la literatura, al margen del testimonio directo, y acentuando la capacidad, la pulcritud y el vigor de la misma creación literaria, de la escritura. Octavio Paz perfila esta cuestión de modo, a mi entender muy claro, cuando afirma que mientras para los españoles el lenguaje nunca ha sido puesto en tela de juicio, para los americanos el idioma «es una de nuestras incertidumbres». Esta frase explica muy bien esa estirpe específicamente estilística de la renovación literaria de Hispanoamérica, y la constante limitación a superar (muchas veces sin la seguridad de conseguir la solución adecuada) que supone la obra del propio Octavio Paz. O mejor, que precisamente por existir esa incertidumbre es por lo que el escritor puede transgredir los límites que impone el instrumento de la comunicación artística. El lenguaje siempre es un interrogante que se debe dilucidar, nunca una seguridad que haya que aceptar.

Así pues, lo que importa cuando nos enfrentamos a un escritor como Octavio Paz no es únicamente su obra en cuanto a tal, sino también —y de forma muy especial— la actitud que ese escritor adopta ante el hecho literario, y ante las circunstancias en las que se inscribe su trayectoria vital e intelectual (8). Y por encima de todo ello, la confirmación de que el fenómeno literario de Hispanoamérica, tan aireado en los últimos años, no es algo aislado, esporádico, fruto de alguna moda fulgurante; que no es un hecho casual, ni un mero alarde sensacionalista, como se han aprestado a censurar, con mucha autosuficiencia, algunos; que tampoco es —como han querido otros— un pretexto para mitificar una determinada posición estética, sino algo que nos permite considerar serenamente lo que de verdad es un escritor y cómo hace de su experiencia un riguroso compromiso. La coherente trayectoria literaria de Octavio Paz, por ejemplo, se sustenta en una serie de conceptos y se inscribe en una intencionalidad que están fuera de toda duda. Ante tales evidencias, la postura más honesta es la del acercamiento objetivo y crítico a estas expresiones. Se podrá estar de acuerdo o no con la postura concreta de éste u otros escritores, pero no podemos hacer caso omiso a su incuestionable validez, no podemos ignorarlas.

«El escritor es una voz disidente, crítica», ha dicho en alguna ocasión Octavio Paz. Pero ambos términos tienen aquí un valor mucho más ambicioso de lo que a primera vista pudiera parecernos. Porque para Paz, ser crítico, disidente, opuesto o marginado, implica una reflexión, una penetración intensa en la realidad formal, intrínseca e inherente a la expresión literaria. Una reflexión y una penetración sobre el lenguaje, indispensable en la creación literaria, único objetivo esta última que debe preocupar al escritor, porque la única realidad incuestionable es la de la obra literaria. Paz trabaja incansablemente en su obra por los caminos que considera más fructíferos, más útiles, y va dando forma a su personal y peculiar criterio, en una obra donde se hacen influencia viva el surrealismo francés, el barroco español, las complejas investigaciones sobre la palabra poética de Pound y Eliot y la fuerza desatada, sensorial y cálida de su condición de hispanoamericano; la experiencia lógica del hombre occidental y la compleja trama legendario-filosófico-religiosa del orientalismo

(escritura de fuego sobre el jade,
grieta en la roca, reina de serpientes,
columna de vapor, fuente en la peña,
circo lunar, peñasco de las águilas,
grano de anís, espina diminuta
y mortal que da penas inmortales,
pastora de los valles submarinos
y guardiana del valle de los muertos,
liana que cuelga del cantil del vértigo,

enredadera, planta venenosa,
flor de resurrección, uva de vida,
. . . . .)

Por ello, me parece justo indicar cómo Octavio
Paz, incluido entre los escritores más significativos de
Hispanoamérica, no es uno más, sino el más personal
e individualizado de todos, tanto en sus postulados
críticos como en su actuación específica, aunque par-
ticipe como Borges, como Cortázar, como Lezama
Lima, de ese objetivo común: la visión de la realidad
a través de una poética que utiliza un lenguaje multivalente, crítico, abundante, histórico y erótico a la
vez. Su poesía no se limita a expresar una serie de
ideas, a reflejar una realidad, sino que aborda el
análisis y el estudio de lo que el poema puede ser
como entidad perfectamente autónoma en el (su)
tiempo, y sobre todo en el (su) espacio:

Palabras, frases, sílabas, astros que giran alre-
dedor de un centro fijo. Dos cuerpos, muchos seres
que se encuentran en una palabra. El papel se
cubre de letras indelebles, que nadie dijo, que
nadie dictó, que han caído allí y arden y queman y
se apagan. Así pues, existe la poesía, el amor
existe. Y si yo no existo, existes tú.

Por este camino va descubriendo la inutilidad del
lenguaje, que no es más que el eco burdo de un
mundo y unos ambientes en lenta descomposición, a
causa de una insistente y vacía repetición. La literatura es un medio, quizá el más eficaz, para luchar
contra las significaciones, porque es capaz de crear
«un lenguaje más allá del lenguaje o la destrucción del
lenguaje por medio del lenguaje» (9). Justamente aquí
se inscribe la más notable experiencia a la que Octavio Paz somete a la poesía. Estudioso de los métodos
de crítica y análisis estructurales, comprende nuestro
escritor cómo en el lenguaje, por encima de su estruc-

tura perfectamente racional, existe una carga de in-
consciencia, de inmotivación en las correspondencias
con el significado, y que esta ambivalencia del lenguaje (inconsciente-racional) exige la valoración específica del espacio en el que se produce la unidad de
la obra, y de esta unidad misma.

El escritor, pues, considera la obra de arte no como
producto de un trabajo más o menos convencional
con unos signos más o menos convencionales, sino
que entabla una relación sobre el entendimiento de
que el poema, la obra, es una criatura ética y estética
regida por sus propias leyes y que mantiene su independencia frente al lenguaje del discurso habitual:

> *No quiero decir que el universo poético carezca
> de significado o viva al margen del sentido; digo
> que en poesía el sentido es inseparable de la pala-
> bra, es palabra, en tanto que en el discurso ordina-
> rio, así sea el del místico, el sentido es aquello que
> denotan las palabras y que está más allá del len-
> guaje. La experiencia del poeta es ante todo ver-
> bal; o si se quiere: toda experiencia, en poesía,
> adquiere inmediatamente una tonalidad verbal.*

En resumen, que la obra de Octavio Paz, y su
importancia crucial en las letras actuales, se justifica
sobradamente por esa especulación sobre el discurso
y las posibilidades de crítica que el mismo permite.
Cada vez que el signo ha sido susceptible de una
ampliación, o de una multiplicación, o de una degra-
dación, del sentido, Octavio Paz ha tratado de conectar con él y comprender por qué se producen esas
crisis del lenguaje, y cómo las mismas se corresponden a crisis paralelas en la concepción de la historia,
del hombre y de sus creencias.

Este trabajo mío tratará de ejemplificar estas
constantes a través de las tres corrientes básicas de
influencia que nutren la obra de Octavio Paz. A saber:
el mundo occidental y la tradición cultural europea,

tanto desde los orígenes culturales y artísticos de la modernidad como a partir de la presencia europea en el seno de los experimentos poéticos de Eliot y Pound. En segundo lugar, la influencia americana. América no sólo son las raíces, el origen de una personalidad buscada, e insistentemente determinada, sino también la aventura de la incertidumbre del lenguaje, como ya hemos insinuado; o, en un momento clave de su vida, la causa de una radicalización de su postura ideológica. Por último, el encuentro con la vida, la cultura y la creencia orientales. La India significa, en la obra de Paz, además de una sugestiva experiencia personal, el descubrimiento de la metáfora desbordada, con una nueva visión de la realidad. La India supone el encuentro con el desbordamiento barroco de los mitos y con las insospechadas capacidades de sugestión que la vista imprime a la palabra.

Octavio Paz es una potencia creadora constante e inacabable. Sus poemas y sus escritos de crítica son un continuo buscar y preguntar (buscarse y preguntarse) por los vericuetos de la literatura (que no es nunca una manera de enmascarar la comunicación, sino —todo lo contrario— de despojarla de veladuras), una insistente investigación en las posibilidades expresivas e interpretativas; pero son, al propio tiempo, una teoría de revelaciones, de encuentros, de logros increíbles y sorprendentes. Para Octavio Paz, la tarea de escribir es un acto en «el que el hombre entero se juega la vida en una palabra»; un acto de reconocimiento, de revelación, pero siempre después de una pérdida, después de una «trasmutación de su fatalidad». Es un acto de liberación, de reencuentro con el hombre. Y esto se cumple en cada uno de sus poemas, en cada uno de sus libros críticos. Leer a este escritor puede ser una experiencia aleccionadora, atrayente, sugestiva; pero, por encima de todo ello, es una experiencia reveladora. Con esta obra nos reencontramos, nos reconocemos, se nos hace clara nuestra propia capacidad de realizarnos, nuestra propia capacidad de creación. Este libro pretende ser, también, una lectura, lo más completa posible, de la obra de Octavio Paz. Una de las tantas lecturas posibles que admite y como todas —según pienso y deseo— con nuevas y positivas revelaciones, producto más bien de la obra en sí misma que de mis tentativas sobre ella.

APUNTE BIOGRAFICO

Todas las biografías suelen ser necrológicas, o tener un tono necrofílico más o menos acusado. Sería bastante difícil redactar la biografía de Octavio Paz sin caer, precisamente, en ese tono del que —es obvio— quisiera apartarme lo más posible. De otra parte, consumar la biografía de Octavio Paz al modo habitual, en las páginas de este libro, sería como cerrar el camino a la continuidad fructífera en que el propio escritor está empeñado. Me he inclinado, pues, por una solución intermedia, para no traicionar tampoco la estructura y el sentido de esta colección.

Mi biografía de Paz es sólo un apunte biográfico porque trata de situar al escritor en un mundo complejo y heterogéneo como el que le ha tocado vivir, jalonado además por fechas cruciales en nuestra historia contemporánea. Me he ayudado, para mantener en lo posible su viveza, con palabras del propio escritor procedentes de declaraciones, entrevistas, anotaciones de algunos de sus trabajos. He señalado, por último, las fechas de sus ediciones.

1914

Nace en México el 31 de marzo.

Su infancia transcurre en Mixcoac, en una casona con jardín. Una tía lo inicia en la cultura francesa, pero ya en su niñez se produce el primer encuentro con

España: «mi madre es hija de andaluces. Y de dos célebres lugares de Andalucía: mi abuelo era de Medina-Sidonia y mi abuela de Puerto de Santa María». Su madre, española. Su padre, criollo. «Pero mi casa de niño era muy mexicana, muy tradicionalmente mexicana, en la cual el problema español estaba vivo. Mi abuelo paterno era liberal y masón, y mi padre también era liberal y después se volvió revolucionario. Eran antiespañoles (...) pero leían muchísimo a los españoles. Gracias a ellos leí a Galdós de niño. Todavía ciertos personajes de los *Episodios Nacionales* siguen siendo modelos para mí. Modelos éticos, es decir: modelos problemáticos. Por ejemplo, Monsalud...» «...además leía —mi abuelo tenía una buena biblioteca— a los poetas españoles y también muchísimas comedias: Lope, Calderón, Alarcón... Y a los románticos y a Larra...».

«De niño estudié en un colegio de Hermanos Maristas. Luego me cambiaron a uno inglés. Como no éramos ricos, después estudié en escuelas del gobierno». «Al ingresar en el bachillerato me di cuenta de mis lagunas y pronto empecé a leer a los nuevos poetas españoles. Fue muy curiosa nuestra evolución: nosotros —mi generación— no leímos primero a Machado y Juan Ramón Jiménez y después a Lorca y a Alberti, sino que fue a la inversa (...) Primero la *Antología* de Gerardo Diego».

1931-1932

Colabora en la fundación de *Barandal*.

«En mi adolescencia, en un período de aislamiento, leí por casualidad unas páginas que, después lo supe, formaban el capítulo V de *L'amour fou*. En ellas relata (Breton) su ascensión al Pico del Teide, en Tenerife. Ese texto, leído casi al mismo tiempo que *The marriage of heaven and hell*, me abrió las puertas de la poesía moderna. Fue un «arte de amar», no a la manera trivial de Ovidio, sino como una iniciación a algo que después la vida y el Oriente me han corroborado: la analogía, o mejor dicho, la identidad entre la persona amada y la naturaleza».

1933

Colabora en *Cuadernos del Valle de México*. Publica *Luna silvestre*.

1934

México. Rafael Alberti, en una gira por el país azteca, da una serie de lecturas que, según el propio Octavio Paz, «me impresionaron, fue una gran revelación para mí».

1936

Nada más acabar sus estudios, se traslada a la península de Yucatán donde crea una escuela para los hijos de los obreros y campesinos.

1937

Viaje a España. Invitado por algunos poetas políticos, «un poco ingenuos» (apostilla Paz años más tarde), asiste al Congreso de Escritores. Hace el viaje vía París. «Al llegar a París me encontré en el andén con Pablo Neruda, que me esperaba (...) con Pablo Neruda estaba Louis Aragon. Esa misma noche me encontré al otro polo de Neruda: Vallejo».

«Después de París fui a dar a Barcelona y de Barcelona fuimos a Valencia, y en Valencia tuve

otros dos encuentros notables. El primero, Vicente
Huidobro (...); el mismo día en la Alianza de Intelectuales para la Defensa de la Cultura (...) vi junto al
piano a un muchacho. Lo vi y lo oí, porque el
muchacho cantaba y cantaba muy bien. Y ese muchacho era nada menos que Miguel Hernández.» «Poseía
voz de bajo, un poco cerril, un poco de animal
inocente: sonaba a campo, a eco grave repetido por
los valles, a piedra cayendo en un barranco».

Valencia va a ser punto de reunión, por aquellas
fechas, de muchos escritores con los que Octavio Paz
toma su primer contacto. Todo el grupo de *Hora de
España:* el poeta y pintor Ramón Gaya, Sánchez
Barbudo, el poeta Juan Gil-Albert. «Con algunos de
ellos y con otros amigos mexicanos haría la revista
Taller». Cerca de Valencia visita a Antonio Machado,
acompañado por Serrano Plaja. «Durante la temporada que pasé en Valencia traté bastante a Manolo
Altolaguirre». «Conocí a Cernuda en España, pero de
pasada. Apenas lo entreví en la redacción de la revista *Hora de España*. Después, en México, nos
hicimos amigos».

En realidad va a ser en México donde no sólo
afirme la amistad con muchos de estos escritores,
sino donde va a dar frutos literarios más relevantes.
También en México ha conocido a André Breton, que
ha pasado unos meses durante ese año de 1937.

1938

México. Revista *Taller*. «Solana, su fundador, con-
cebía *Taller* como fraternal y libre comunidad de
artistas. Cierto, los problemas técnicos —quiero decir: el lenguaje— constituyeron una de nuestras preocupaciones centrales. Pero jamás vimos la palabra
como un *medio de expresión*. Y esto —nuestra re-
pugnancia por lo literario y nuestra búsqueda de la
palabra origina por oposición a la palabra personal—

distingue a mi generación de la de *Contemporáneos*. La poesía era actividad vital más que ejercicio de expresión (...) Para los poetas de *Contemporáneos* el poema era un objeto que podía desprenderse de su creador; para nosotros, un acto. O sea: la poesía era un *ejercicio espiritual*».

En este año conoce a Emilio Prados y a Pedro Salinas, a José Moreno Villa, al que recuerda «recien llegado de España, hojeando libros en la Antigua Librería Robredo». Moreno Villa es, para Octavio Paz, «el primero que intentó (y logró) escribir poesía coloquial. De verdad coloquial y poesía de verdad».

«Vivía en México muy difícilmente como periodista y con empleos extravagantes. Por ejemplo, durante una época tuve que trabajar en el Banco Nacional contando billetes, pero contando billetes viejos, los billetes que se van a quemar».

«En plena guerra mundial solicité y ¡obtuve! una beca Guggenheim (...), en la época de la gran alianza entre los rusos y los norteamericanos. Yo me encontraba en una situación muy difícil, no sólo en el sentido material sino en el moral y el político. Era colaborador de un diario obrero de izquierda, *El Popular,* pero el pacto entre Hitler y Stalin me desconcertó y me dolió. Decidí separarme del periódico y me alejé de mis amigos comunistas (...) me enredé en una polémica más bien amarga con los partidarios del «realismo socialista» (...) Yo me sentí cercado y acorralado. Entonces conocí a Víctor Segre y a Benjamín Péret y a otros escritores revolucionarios desterrados en México (...) Aquellos amigos me descubrieron otros mundos. Y, sobre todo, lo que significa el pensamiento crítico. Como buen hispanoamericano yo conocía la rebelión, la indignación pasional —no la crítica. A ellos les debo saber que la pasión ha de ser lúcida».

Publica en este año *Raíz del hombre* y *Bajo tu clara sombra.*

1941

Publica *Entre la piedra y la flor*

1942

Publica *A la orilla del mundo*

1943

Colabora en la fundación de la revista *El Hijo Pródigo*, en la que también colaboran escritores españoles exilados en Méjico. Esta revista publica versiones de Rimbaud (*Una temporada en el infierno*), de Lautréamont (poesías) y de Eliot (*The Waste Land*), por primera vez en español.

1944-1945

Primera estancia en USA. «El primer año viví de la beca, el segundo de trabajos y empleos pintorescos. Pasé una temporada en San Francisco y otra en Nueva York (...) Decidí alistarme en la marina mercante (...) Tuve suerte y no me aceptaron. Fui profesor de verano en Middlebury, en Vermont. Trabajé en el «doblaje» de películas, y en la radio. Conocí a Robert Frost ese verano en Middlebury, y allí mismo a Jorge Guillén. Un poco después, en Washington, traté a Juan Ramón Jimenez (y a su mujer, Zenobia), durante dos días de delirante poesía, crítica (no menos poesía que su poesía) y chismes, fantasías perversas. La calumnia como género poético (...) Estos años también me familiaricé con la poesía norteamericana... Cummings... Pond...

También en 1944 colabora en la revista *Dyn,* escrita en inglés, de corte surrealista, y dirigida por Wolfrang Paalen y Edouard Renouf.

1945

«Francisco Castillo Nájera (...) un viejo revolucionario que había sido íntimo amigo de mi padre (...) me propuso que ingresase en el servicio diplomático. Acepté (...) Fui a dar a París.

En París intima con Péret y Bretón, a los que ya había conocido en México. «A pesar de mi amistad hacia su persona (se refiere a Bretón), mis actividades dentro del grupo surrealista fueron más bien tangenciales. Sin embargo, su afecto y su generosidad me confundieron siempre, desde el principio de nuestra relación hasta el fin de su días.» En el Café de la Place Blanche, al que acudía en compañía de Péret, «durante una larga temporada vi a Bretón con frecuencia».

Publica *Libertad bajo palabra* (10)

1950

Publica *El laberinto de la soledad.*

1952

Viaje a la India y Japón donde pasa casi un año entre los dos países. Es su primer viaje a Oriente, y significa la revelación, aunque el escritor confiese que su primer contacto con el mundo oriental «fue la lectura de ese poeta mexicano, José Juan Tablada, que fue el introductor del *haikai* en la lengua española. «Después estuve en Japón y me interesó mucho la literatura japonesa. Hice una traducción de Basho. Cuando regresé a México intenté, con un pequeño grupo experimental de teatro, poner ciertas obras de teatro No moderno de este autor que se acaba de suicidar... » (Se refiere a Yukio Mishina).

1953

Regreso a México y despliegue de intensa actividad literaria: libros de poesía y ensayo, polémicas literarias y políticas, presentación de nuevos pintores, colaboración en revistas, traducciones...

1954

Publica *Semillas para un himno.*

Concluye la pieza en un acto sobre un cuento de Hawthorne que titula *La isla de Rappaccini.*

1955

Funda el grupo de teatro experimental *Poesía en Voz Alta.* Colabora en la Revista Mexicana de Literatura.

1956

Publica *El arco y la lira.*

1957

Publica *Las peras del olmo.*

1958

Publica *La estación violenta.*

1959

Nuevo viaje a París. Publica *Agua y viento.* Firma un manifiesto ante la crisis del sistema político mexicano.

1960

Publica la edición total de *Libertad bajo palabra* (1935-1957)

1962

Publica *Salamandra* (1958-1961)

Segundo viaje a la India. «Allí me casé en Delhi, bajo el árbol del *nim,* con Marie José. Oriente, sobre todo los últimos años de la India, fue muy importante para mí».

1964

«No olvidaré nunca (...) una (conversación) que sostuvimos (se refiere a André Breton) en el verano de 1964; un poco antes de que yo regresase a la India. Aquella noche, caminando solos por el barrio de Les Halles, la conversación se desvió hacia un tema que le preocupaba: el porvenir del movimiento surrealista. Recuerdo que le dije, más o menos, que para mí el surrealismo era la enfermedad sagrada de nuestro mundo, como la lepra en la Edad Media o los «alumbrados» españoles en el siglo XVI; negación necesaria de Occidente, viviría tanto como viviese la civilización moderna, independientemente de los sistemas políticos y de las ideologías que predominen en el futuro. Mi exaltación lo impresionó, pero se repuso...»

1965

Publica *Cuadrivio* y *Viento entero.*

1976

Publica *Puertas al campo.*

1967

Publica *Corriente alterna* y *Claude Lévi-Strauss o el nuevo festín de Esopo.* En agosto de ese año ingresa en el Colegio Nacional de México.

1968

Es un año crucial en la biografía de Octavio Paz. En total desacuerdo con la política de represión adoptada por el Gobierno de México ante el movimiento democrático estudiantil, y para protestar contra la matanza de la Plaza de Tlatelolco, presenta su dimisión del cargo de Embajador. Deja la India.

Publica *Marcel Duchamp o el castillo de la pureza.* También en ese año publica el sugestivo libro poético *Ladera Este,* que abarca, significativamente, poemas de los seis últimos años de estancia en la India.

1969

Estancia en París. Elaboración de *Renga.* Tomando como referencia la forma poética japonesa del mismo nombre, consistente en la elaboración colectiva de un solo poema compuesto de estrofas de tres y dos líneas, «se me ocurrió que quizá podríamos escribir un *renga* en Occidente». «Pensé que uno de los poetas franceses que se interesan en la combinatoria es Jacques Roubaud (...) decidimos invitar a otro poeta amigo nuestro, Edoardo Sanguineti, y a un poeta inglés que se llama Charles Thomlinson (...) Nos reunimos cinco días (del 30 de marzo al 3 de

abril) en el sótano de un hotel de París, el hotel
Saint-Simon, donde vivía yo (...) el resultado fue
(*Renga*)»

Se publica en España su primera antología poética,
La Centena, seleccionada por él mismo. Se da la
circunstancia que éste es el primer libro de Octavio
Paz que se publica en España. A partir de él se
suceden las ediciones españolas de otros libros suyos,
hasta el presente sólo ensayos críticos y *El mono
gramático*.

1970

Publica *Postdata* y *Conjunciones y disyunciones*.

1971

Regreso a México

Publica *Los signos en rotación* y *Renga*.

1973

Publica *El signo y el garabato*.

1974

Publica *Los hijos del limo*, *El mono gramático*,
Teatro de signos y transparencias (libro antológico
preparado por Julian Ríos). *Versiones y diversiones*.
En mayo; segundo y breve viaje a España.

En la actualidad, Octavio Paz alterna su trabajo
literario con cursos de estética y literatura en Estados
Unidos (Harvard) y con la dirección de una revista de
singular factura, *Plural*.

UN EJERCICIO DE MEDITACION CULTURAL

Refiriéndose a Alfonso Reyes, el propio Octavio Paz ha escrito:

> *Reyes se ha asomado a muchos manantiales, ha sufrido diversas tentaciones y nunca ha dicho «de esta agua no deberé». El habla popular, los giros coloquiales, los clásicos griegos y los simbolistas franceses se alían en su voz, sin olvidar los españoles del siglo de oro. Viajero en varias lenguas por éste y otros mundos (...) mezcla lo leído con lo vivido, lo real con lo soñado, la danza con la marcha, la erudición con la más fresca invención. En su obra en prosa y verso, crítica y creación se penetran e influyen mutuamente (...) Tampoco sería justo olvidar sus traducciones poéticas, que son verdaderas recreaciones y entre las que es imprescindible citar dos nombres que son dos polos: Homero y Mallarmé. Se dice que Alfonso Reyes es uno de los mejores prosistas de la lengua; hay que añadir que esa prosa no sería la que es si no fuera la prosa de un poeta* (1).

No me ha importado empezar con una cita tan larga, porque me parece altamente reveladora. Estas líneas, sin la más mínima alteración, podrían servirnos para caracterizar con la suficiente exactitud la obra del propio Octavio Paz. Su justificadísima admiración por Alfonso Reyes no deja de ser también perfectamente comprensible, y hasta supone una confesión de parte: la obra de Octavio Paz se nos revela como continuación de todo ese mundo que constituye la original aportación literaria del maestro Alfonso Reyes. Una obra, por lo tanto, que va a ser difícilmente abarcable en un estudio como éste, más bien acercamiento de la imagen del escritor mexicano al lector español. La obra de Octavio Paz merecería un detenidísimo ensayo (habida cuenta la existencia en este sentido de obra tan capital como la que sobre Paz ha publicado en México Ramón Xirau) para el cual yo necesitaría muchísimo más tiempo, y mucho más conocimiento no sólo de poesía, de literatura o crítica. Los campos por los que discurre, los temas y materias que aborda son tantos, tan variados y tan penetrantes, que se hace imposible de momento todo aquello que no sea una caracterización de sus rasgos fundamentales. Voy a intentar, por tanto, en este capítulo, determinar los temas sustanciales que operan en la base de esta obra y, sobre todo, dejar bien claro —dentro de los límites de mis posibilidades— los puntos de conexión que hacen de esta obra, a pesar de su dispersión aparente, a pesar de su evidente complejidad, una de las más coherentes y unitarias en la actual literatura escrita en la lengua castellana.

Es muy curioso, por ejemplo, el proceso a través del cual Octavio Paz logra reunir en sugestiva conjunción, y con clarividente rigor, aportes culturales tan alejados los unos de los otros, como pueden ser los de Oriente y Occidente; y, sin embargo, no cabe la más mínima duda de que ésta supone su más singular conquista. «Octavio Paz —escribe Antonio Tovar— supo reunir en sus amistades y en sus libros el Oriente con el Occidente y no se perdió en sus acercamientos a los Estados Unidos y a Japón, a París y a Londres, a Nueva Delhi y a sus nativas pirámides aztecas en ruinas. Y ha tenido el valor y la inteligencia de tomar sobre sí la época actual» (2). A esta descripción que hace Tovar habría que añadir otro dato que considero de gran interés: la obra no es otra cosa que la certificación, el exponente incuestionable, de las razones de ese acercamiento. Porque no se trata de una incorporación de materiales que se haga a cuenta de un exotismo, de una singularidad forzada, o movida por ciertos entusiasmos fortuitos, sino que es producto del sucesivo enfrentamiento, lúcidamente personal, con las cosas, con el mundo, con el hombre y su historia.

Es indiscutible que la obra de Octavio Paz no nace espontáneamente, y también es cierto que nunca se convierte en una reiteración más o menos original (pero reiteración al fin) de ciertos sistemas y fórmulas habituales. Se puede pensar, leyendo a Paz, que su trabajo es fruto de una especulación más brillante que eficaz, una especulación que prescinde del rigor científico, y que el escritor, como crítico, como ensayista, e incluso como poeta, se deja arrastrar por sugestiones personales, por la pasión irrefrenable, pero que, a la hora de sistematizar todo ese razonamiento, las bases son mucho menos sólidas de lo que parecían. Y no es eso. Porque cualquiera que sea la actitud de nuestro escritor para con lo que escribe, o para con lo que juzga, persigue un objetivo muy claro: apartarse radicalmente de todo sistema, de toda norma establecida por las convenciones de la cultura habitual, y fundir, sin detrimento de ninguna de las dos, la firmeza crítica y la pasión poética. No se trata de arduas y difíciles construcciones, no se trata de especulaciones más o menos brillantes o llamativas, aunque en algunos momentos pudiera parecerlo, sino que este proceso se realiza a traves de unos caminos bien simples que forman parte incluso del patrimonio cultural establecido, pero frente a los cuales Octavio Paz adopta siempre una postura de abierta disidencia:

Desde hace años sostengo una pequeña e inter-
mitente polémica, no contra éste o aquel artista,
sino contra dos actitudes que me parecen gemelas:
el nacionalismo y el espíritu de sistema. Ambos son
estériles y convierten en desierto aquello que to-
can. Los dos son enfermedades de la imaginación y
su verdadero nombre es mentira. Uno expresa, en
su arrogancia, un sentimiento de inferioridad; el
otro, en su certidumbre, un vacío intelectual. Men-
tira pasional, mentira razonadora (3).

A partir de esta actitud, lo suficientemente clara y
obvia, despliega Octavio Paz todo su razonamiento
crítico, que es la plasmación de una determinada
experiencia. Nuestro escritor parte, pues, de lo obvio: nos encontramos en medio de una sociedad y de
un mundo que han ido creando una máscara en torno
suyo a lo largo de la historia, y esta máscara ha
encubierto de tal modo su verdadera faz, que ha
llegado a suplantarla. Cualquier especulación teórica
que no trate de violentar este engaño se hace igualmente falsa. La actividad del escritor —piensa Paz—
consiste entonces en llegar a desenmascarar esta falsedad; en llegar a mostrar esa faz verdadera y tenazmente oculta. Es lo que han venido intentado cuantos
críticos, sobre todo contemporáneos, se han empeñado en el problema. Sin embargo, la singularidad de
Paz consiste en que, aun asumiendo lo obvio como
punto de partida, no se rinde a los cantos de sirena, ni
adopta las verdades establecidas, sin antes enfrentar-
las críticamente. Y más aún: nuestro autor tampoco
intenta hacerse con un sistema para su uso particular,
ni intenta convertir sus reflexiones en dogma, sino
que introduce en su trabajo crítico, en ese proceso a
la cultura y al hombre occidentales, un elemento que
llegó a ser valorado muy tardíamente en su justa
importancia: la pasión, el placer, el deseo. Y que
todavía hoy se mira con cierto recelo entre temeroso
y desconsolado. Paz es explícito en este punto:

Nuestros gustos no se justifican; mejor dicho: satisfacerse, encontrar el objeto que desean, es su única justificación. A mis gustos no los justifica mi razón, sino aquellas obras que lo satisfacen. En ellas, no en mi conciencia, encuentro la razón de mi placer. Pero poco o nada puedo decir sobre esas obras, excepto que me seducen de tal modo que me prohiben juzgarlas y juzgarme. Están más allá del juicio, me hacen perder el juicio. Y si me decido a juzgar, no me engaño ni engaño a nadie sobre el verdadero significado de mi acto: lo hago sólo por añadir placer a mi placer (4).

Este placer, que Octavio Paz sitúa siempre en el vértice de su trabajo, y que le lleva a conclusiones poderosamente sugestivas, va a ser una de las principales características de su obra. Quizá por ello, además, su prosa, sus disquisiciones críticas, pierden todo envaramiento académico y se hacen ricas revelaciones, e iluminaciones sorprendentes. No puede extrañarnos que no se entienda a Paz como se deba, y que se hable hasta de una posible especulación irracional al referirse a su trabajo, cuando nada es más lejano a la realidad. Que a veces, impulsado por ese placer que señala, el nivel de comprensión del lector habitual se vea desbordado no quiere decir nada, porque nunca la obra de Paz supone un fraude. Sabemos de antemano que se opone radicalmente a todos los sistemas, que no pretende emitir teorías cerradas, que no se arriesga a la certidumbre que pueda ser asimilada erróneamente, que pueda convertirse en monólogo irrelevante. Lo que quiere Paz es sacarnos siempre de nuestras casillas, tenernos en vilo, mantener un diálogo constante con el lector, consigo mismo y con la historia que aborda. Me parece que en esa apropiación de lo pasional y en ese reto a cuerpo limpio que lanza al mundo con el que dialoga reside su gran originalidad: no certifica un hecho, sino que trata de buscar, de interrogar, las razones de su origen; trata de retornar al encuentro de un tiempo perdido, pero no a la manera de Marcel Proust, «sino con un sentido colectivo para descubrir la propia identidad histórica» (5).

Así es muy comprensible que Octavio Paz siga pensando que todavía es posible abrir nuevos cauces; que a pesar de sus sesenta y un años no esté convencido de haber dado con la verdad, o con la «fórmula mágica», sino que necesita aventurarse un poco más, ir más allá de la certidumbre, que siempre es sospechosa. En *Los hijos del limo* escribe:

> *Los poetas de la edad moderna buscaron el principio del cambio: los poetas de la edad que comienza buscamos ese principio invariante que es el fundamento de los cambios. Nos preguntamos si no hay algo en común entre la* Odisea *y* A la recherche du temps perdu. *Esta pregunta, más que negar a la vanguardia, se despliega más allá de ella, en otro tiempo y en otro lugar: los nuestros, los de ahora. La estética del cambio acentuó el carácter histórico del poema. Ahora nos preguntamos, ¿no hay un punto en que el principio del cambio se confunde con el de la permanencia?* (6).

Observará el lector que la constante pregunta, la insistencia en cuestionar los arrastres de la cultura adquirida, no suponen nunca una negación de lo que pudo ser importante, sino que son —en Octavio Paz siempre— una apasionada necesidad de apurar todo un poco más, de trascender los límites habituales y ponerlos a prueba. Y también notará cómo en ese lúcido razonamiento, sin dejar de alimentar el impulso pasional, aparecen los puntos vitales de la crítica de Paz: el tiempo, el lenguaje, la creencia. Por ellos, a través de ellos, podemos llegar a comprender no sólo la obra particular del escritor mexicano, sino el porqué ella constituye, en el ámbito de nuestro idioma por lo pronto, no sólo una novedad atrayente, sino el cumplimiento de un compromiso que ya se estaba haciendo esperar demasiado.

Encontrarnos con la obra de Octavio Paz, y con la personalidad que dimana de la misma, puede ser importante toda vez que nuestra literatura, nuestra cultura, siempre ha estado presidida por la pereza crítica, por la aceptación conformista de los rasgos más o menos sustantivos que conformaban el armazón básico de la misma; por el ciego acatamiento a verdades más o menos sistematizadas, sin que nunca se hayan puesto en cuestión, y menos de forma lúcida y eficaz. Para el mundo cultural hispano —y Paz lo confirma— no ha existido nunca la posición crítica: «El hombre moderno ha sido fundado por la crítica, y el hecho de que no haya gran crítica ni en España ni en América Latina —crítica literaria, moral y filosófica—revela que nuestra historia es otra (...) para los españoles y los hispanoamericanos la historia no es lo que hemos hecho o hacemos, sino lo que hemos dejado que otros hagan con nosotros. Desde hace tres siglos, nuestra manera de vivir la historia es sufrirla» (7). Este *sufrimiento* de la historia y la cultura, esta condición de sujeto paciente de la misma, ha llevado, progresivamente, a un establecimiento de fórmulas culturales anuladoras de la propia imagen, y han despersonalizado a la cultura, al arte y a la historia. Pero, a su vez, Paz comprende —y nos lo dice— cómo el proceso cultural de Occidente ha dado en el mismo callejón sin salida, aunque en ocasiones haya planteado un reto a la sistematización cultural e histórica. En esta actitud se basa todo el comportamiento crítico de nuestro escritor: deja al descubierto lo obvio, lo que todos podemos comprender de forma clarividente, sin mucho esfuerzo. Ello —creo que está bien claro— supone una decisión arriesgada, puesto que equivale a una confesión de las miserias que todos, consciente o inconscientemente, no nos hemos atrevido a poner en claro, agobiados precisamente por la tiranía de los sistemas, dogmas y fórmulas; en

parte por reconocernos culpables de haber contri-
buido a ellas; atemorizados por la condición marginal
y disidente de los artistas, pensadores y escritores en
el nervioso discurrir de la historia cultural de Occidente.

Octavio Paz, un mexicano de origen europeo y
criollo, y cuya andadura se extiende y amplía hasta
cubrir un gran espectro cultural (8), no puede pararse
en disquisiciones más o menos rutinarias, tiene que
abrirse a todos esos vientos, tiene que husmear con
curiosidad y glotonería por todas partes, y tiene además la ventaja de no estar condicionado por actitud
previa alguna, ni por ninguna presencia histórica
ejemplar. Hace cosa de un siglo, el modernismo pudo, desde América, enfrentarse con luminosa valentía
a los problemas de la escritura literaria en castellano
(y por lo mismo a los problemas expresivos de la
cultura y la historia). Su condición de marginados, de
sociedad sobre la que se había actuado con fórmulas
ya experimentadas en Europa, dio la oportunidad a
los hispanoamericanos para iluminar las zonas más
oscuras de nuestro lenguaje (9). Ahora, Octavio Paz
se atreve con un análisis histórico y cultural de Occidente, porque además de su razón histórica americana, y a pesar de su origen europeo, ha convivido
intensa y apasionadamente con esa otra cultura peri-
férica que es el Lejano Oriente, con esa otra vertiente
oculta por los siglos y la marginación colonial. La
posición que adopta Paz es a la vez ambiciosa y
privilegiada. Y es, además, una posición decisiva.

Lo que pudiera parecer curioso a cualquier lector
no avisado, no lo es tanto: ¿cómo un escritor que es
esencialmente poeta, se decide a escribir tantos libros
que rondan lo mismo el tratado filosófico que el
ensayo político, sociológico o religioso...? Pues, simplemente, porque Octavio Paz reclama nuestra atención hacia el punto de confluencia de todos los elementos de nuestra historia cultural: el lenguaje. Octavio Paz reduce todo a lenguaje: mejor dicho: ve todo

reducido a lenguaje. Y de su estudio, por consecuencia, dependerá que lleguemos a comprenderlo en la medida adecuada. De ello dependerá, igualmente, que comprendamos o no cómo el cambio de lenguaje, el cambio en la comunicación, es reflejo inequívoco de un cambio en los conceptos de tiempo, historia, creencias.

Creo que es imprescindible, en este caso, antes de acometer la lectura de su poesía, analizar estos conceptos básicos del pensamiento crítico de Octavio Paz por otra razón: su poesía no es algo marginal, sino que presupone necesariamente la constatación práctica de lo que ha sido su discurso crítico. La coherencia de la obra de Octavio Paz es tan firme que no podemos decir con certeza qué ha sido primero, si la poesía o el ensayo; que no podemos descubrir si la una lo llevó al otro, o viceversa. Lo único cierto es que, como demuestra en *El mono gramático,* la obra es un campo de trabajo en el que creación y crítica se dan de forma simultánea; es más: la crítica llega a actuar sobre el texto creado al tiempo que éste se va produciendo. La poesía de Octavio Paz es siempre simultánea a su crítica, se convierte en testimonio de esta última. Y en su caso particular, la crítica no es una actividad adjetiva o subordinada, ancilar, sino que es fundamento, parte integrante de su creación. Es creación ella misma. Como ya dije al comienzo, le sucede como a su compatriota Alfonso Reyes: su prosa es tan peculiar, tan significativa, porque es una prosa iluminada por la pasión poética. Sus ensayos son tan sugestivos —aun en sus aventuradas referencias— porque sirven como revelación; no de seguridad, sino de posibilidad de cambio. A veces, la oscuridad del misterio, la inquietud de lo ambiguo, contribuyen a hacer más atractiva su lectura y, sobre todo, a esas cosas que nos propone como ejercicio de meditación cultural. El ensayo en nuestro ámbito literario ha quedado siempre reducido a las tentativas espirituales o al academicismo más estricto; salvo contadísimas excepciones, no hemos tenido una creación ensayística relevante. A veces hemos incluido en el capítulo de ensayos, en nuestras historias literarias, obras que —aun con ser importantes— no llegan a constituir ensayos en un sentido pleno. Octavio Paz logra que el ensayo llegue a ser leído como lo que es, como una aventura, como una búsqueda nunca culminada sobre las cosas y que, al mismo tiempo, se ofrezca como una iluminación apasionada sobre esas cosas que siempre hemos tenido ante nosotros, pero que nunca hemos sido capaces de ver con claridad. Iluminación. Capacidad para ver con nuevos ojos las verdaderas razones de nuestra historia. Sólo así comprenderemos cómo el ensayo de Octavio Paz no constituye una exaltación, ni siquiera de aquellos temas a los cuales se siente más estrechamente vinculado (por ejemplo, Hispanoamérica; por ejemplo, el compromiso del escritor). Nuestro escritor siempre corre el riesgo, porque riesgo es en nuestra circunstancia, de plantear abiertamente las fisuras del concepto de compromiso literario, entendido a la manera intransigente de los dictados ideológicos («La palabra *deseo* no figura en el vocabulario de Marx. Una omisión que equivale a una mutilación del hombre»). Octavio Paz habla de la belleza como ámbito de responsabilidad que «no confiere a nadie, ni al escritor ni al lector, impunidad».

Es este uno de los puntos más conflictivos, no sólo dentro de la obra de nuestro escritor, sino en el ámbito de la crítica contemporánea. Haber superado esa posición subordinada del escritor con respecto a un sistema fijo de ideas; el haber determinado la libertad del creador, y del lenguaje que utiliza, frente a la voracidad del control cultural, ha supuesto para Octavio Paz una de sus más difíciles y controvertidas conquistas. Sólo su extraordinario amor a la verdad le ha ayudado en el empeño; su amor a la verdad, y su perfecta manipulación del lenguaje:

...si las obras son eternas —¿qué se quiere decir
con esta palabra?—, si duran más que los hom-
bres, su duración se debe a dos circunstancias: la
primera es que son independientes de sus autores y
de sus lectores; la segunda es que, por tener vida
propia, sus significados cambian para cada gene-
ración, y aun para cada lector. Las obras son
mecanismos de significación múltiple irreductibles
al proyecto de aquél que las escribe (10).

Esta autonomía y esta multiplicidad llevan a Paz
a pensar en el compromiso de las formas como el
único viable para el escritor; y el único exigible.
Manipular con el lenguaje es ejercer un acto de libertad, y no puede por tanto estar vinculado a ningún
sistema, como no está el lenguaje al servicio del
escritor, sino todo lo contrario: este último sirve al
lenguaje, no para transformar el objeto en palabra,
sino para devolver al signo su «pluralidad de significados», y obligar al lector a que complete la obra:

Cada vez que nos servimos de las palabras, las
mutilamos. Mas el poeta no se sirve de las pala-
bras. Es su servidor. Al servirlas, las devuelve a su
plena naturaleza, las hace recobrar su ser. Gracias
a la poesía el lenguaje reconquista su estado origi-
nal. En primer término, sus valores plásticos y
sonoros, generalmente desdeñados por el pensa-
miento; en seguida, los afectivos; y, al fin, los
significativos. Purificar el lenguaje, tarea del poe-
ta, significa devolverle su naturaleza original (11).

«Todo es diálogo en la obra de Octavio Paz —ha
escrito Julián Ríos—: el poeta siempre habla con los
otros, aun en los monólogos, poemas y ensayos dia-
logan entre sí, civilizaciones e historias distintas se
encuentran, nos salen al encuentro a través de puertas y puentes ignorados, un libro, un texto, es un
tejido de relaciones, las palabras hablan entre ellas,

los silencios también cuentan y participan del diálogo, el lenguaje, como el universo, es un mundo de llamadas y respuestas y el hombre no es el ser de excepción: es un momento del diálogo de los universos» (12). Esta idea, insistentemente expresada, y desarrollada con profusión, en toda la obra de Octavio Paz nos puede servir muy bien para llegar a los puntos básicos de su trabajo. La historia debe ser un diálogo entre el hombre y el mundo, y el escritor es el único nexo capaz de establecer el contacto —bien que precario— entre ese hombre y ese mundo, porque nombra las cosas «con imágenes, ritmos, símbolos y comparaciones. Las palabras no son las cosas; son los puentes que tendemos entre ellas y nosotros» (13).

El lenguaje tiene, por lo tanto, un lugar preferente en la obra de Octavio Paz. La atención que le presta no es gratuita, ya que su posición ante él depende siempre de la actitud del hombre para con su historia. El lenguaje está siempre por encima del autor, antes del mundo, y la obra literaria (la manipulación intencional del lenguaje, el acto que lo define) es la «elaboración (...) de un saber, por naturaleza antidogmático, de los problemas humanos». En la literatura, este lenguaje se vuelve crítico, disidente. Mientras el lenguaje sea una convención, un «medio de expresión», mientras sea imitación o referencia subordinada, el lenguaje se irá vaciando, se irá corrompiendo, porque se alejará progresivamente del *otro,* de la alteridad, y se encerrará en una insolidaridad manifiesta, desembocando en la incomunicación total. Pero cuando el lenguaje puede llegar a ser puro, cuando opta por la disidencia, por la crítica, por la subversión de la imagen establecida, el lenguaje será el vehículo a través del cual la *otredad* le recuerda a la unidad su existencia. Crece entonces la posibilidad de concurrencia y solidaridad de la palabra.

El único arte insignificante de nuestra época es el realismo. Y no sólo por la mediocridad de sus

*productos, sino porque se empeña en reproducir
una realidad natural y social que ha perdido sentido. El arte temporal se enfrenta a esta pérdida de
significación y de ahí que sea el arte por excelencia
de la imaginación. Desde este punto de vista Dadá
fue ejemplar (...) asumió no sólo la asignificación
y el sinsentido sino que hizo de la insignificación
su más eficaz instrumento de demolición intelectual* (13 B).

El camino liberador, purificador, de ese lenguaje, y
por lo tanto de la recuperación de la libertad, es el
que nos lleva a la poética, y al compromiso con la
misma. La filosofía, la religión o la política —ha
advertido Octavio Paz— no han resistido el ataque de
la técnica, mientras que el arte sí; y justamente en los
albores de la época moderna, los movimientos que
han supuesto una mayor y más profunda conmoción
cultural (romanticismo y surrealismo) no provienen
de una escolástica, ni siquiera de una sistematización
filosófica, sino que constituyen, precisamente, «una
locura, una poética». Con ello nos está advirtiendo
Octavio Paz cómo lo que ha hecho progresar esta
difícil evolución es, justamente, la desconfianza ante
el lenguaje, que ha desembocado o en la crítica
abierta o en el silencio indiferente, frente a la máscara
que ha ido ocultando su verdadero rostro. Y para
alcanzar la transparencia es imprescindible encontrarnos con la imaginación, con el deseo (no es casualidad, por tanto, que Luis Cernuda, cuya obra es
siempre una tensión constante entre realidad y deseo,
sea uno de los escritores preferidos de Paz, y a quien
ha dedicado muchas de sus páginas más lúcidas), y
prescindir de sistemas y poéticas, como hace el surrealismo. Por eso llega nuestro escritor al surrealismo, y se mantiene en él, aunque no de forma militante, y sostiene que es la base de todo lo que en
cuestión de liberación real de la escritura se ha venido
haciendo después. Es ésta una verdad que todos

repiten, pero que Paz explica: «Una y otra vez, Bretón ha afirmado su fe en la potencia creadora del lenguaje, que es superior a la de cualquier intento personal, por eminente que sea» (14).

LA BUSQUEDA DEL LENGUAJE

Concepto básico, e importante de cara a la comprensión del compromiso en la obra de Octavio Paz, es el de las formas: el arte como entidad autónoma de formas igualmente autónomas. Paz considera la creación artística como un dominio propio, con sus propios instrumentos de encantamiento, pero que, a pesar de tener como objetivo el expresar al hombre y sus conflictos, la existencia de tales instrumentos y de esas específicas condiciones de desenvolvimiento, determina tanto una serie de propiedades exclusivas del arte mismo, como también que el creador sea capaz de traspasar los límites habituales que se le ofrecen, y —escribe Paz— no contentarse con utilizarlos para confirmar ese mundo, sino que queda en muy buena disposición para encontrar un *más allá* de su mundo. El artista, pues, es un ser que goza de absoluta libertad, y de una facultad, inherente a esa libertad, que le permite traspasar los estrechos márgenes de los elementos formales que el arte le impone. De ello podemos deducir con facilidad que mientras el arte es un sistema perfectamente estructurado y autónomo, el artista puede, y debe, avanzar por él, no sólo de acuerdo con las estructuras que lo determinan, sino sirviéndose de ellas para lograr vulnerar esas fronteras, esos límites, y para conseguir la superación del propio sistema. La obra no es, pues, en sí misma un instrumento, sino que es una posibilidad. La obra, como Octavio Paz confiesa más de una vez, es un lugar de confluencia, una zona en la que pueden producirse conjunciones y disyunciones constantes, un cuerpo magnético en el que confluyen y se interrelacionan todos y cada uno de esos elementos, entre los cuales el artista es imprescindible. Y de la conjunción de todos ellos resulta la creación libre y sin coacción. Pero también la obra es una posibilidad de seguir la investigación sobre las formas de ese lenguaje, desbordando la comunicación formalizada y sistematizada dentro de la convención habitual. Refiriéndose a la poesía, escribe nuestro autor:

Una de las funciones cardinales de la poesía es mostrarnos el otro lado de las cosas, lo maravilloso cotidiano: no la irrealidad, sino la prodigiosa realidad del mundo. Pero la religión y sus burocracias de sacerdotes y teólogos se apoderan de todas esas visiones, transforman las imaginaciones en creencias y las creencias en sistemas (15).

No cabe duda de que la creación artística para Octavio Paz no es una labor de reproducción, o de utilización, de unas determinadas formas aceptadas, sino que se trata de una necesidad del artista para dar vueltas a las cosas, para comprender su otra cara, de modo que nunca el lenguaje sea una limitación, una sujeción, sino todo lo contrario. Desde el punto y hora en que ese lenguaje se asimila, se convierte en creencia o en sistema, la creación deja de serlo, para ser voz no independizada del contexto, para no ser voz disidente, sino representación o programación de esos determinados sistemas. El creador, en tal situación, no habla por sí mismo, sino por boca del sistema al cual —consciente o inconscientemente— sirve; y no sirve al lenguaje, sino que se sirve de él.

Es quizá un punto muy resbaladizo éste, porque el planteamiento de Octavio Paz nos induce a pensar en algo que pudiera resultar utópico, siempre y cuando nos inclinemos a pensar que el creador, como hombre que es, y pieza por tanto del conjunto de una determinada evolución cultural, está formado por creencias, conocimientos e ideas de las cuales no puede prescindir puesto que lo constituyen, puesto que lo han formado como es, y no de otra forma. Sin embargo, me parece entender que esta limitación inherente a la manera de desarrollarse la historia de Occidente (en la cual todos somos hijos de las creencias anteriores y las aceptamos como puntos de partida, y muy pocas veces como posibilidades de entablar un diálogo, de explicitar la disidencia, que también debe ser condición del hombre en tanto que ser pensante) se compensa, o se aparece abierta a la esperanza, cuando nuestro escritor, tras el conocimiento del mundo oriental trata de encontrar allí medios para reorganizar ese diálogo empecinadamente frustrado, cuando nuestro escritor intenta la síntesis totalizadora de la cultura universal. Y el creador se constituye en la clave de esa superación de limitaciones, de ese restablecimiento del diálogo entre el hombre y su historia. Los sistemas sociales siempre han representado una unidad de fuerza y acción, una hermética y muy precisa estructura a la que los individuos que la componen se sienten obligados a servir. Pero vida y arte forman, según Paz, una totalidad, no una unidad. Se trata de un conjunto en el que las fuerzas del diálogo se mantienen íntegras, y por ello el diálogo será siempre vivo, y puro:

> *La poesía y la historia se complementan, a condición de que el poeta sepa guardar las distancias. El poder, aun si es un poder revolucionario y generoso, por ley natural tiende siempre a neutralizar y anular no sólo las heterodoxias, sino las diferencias* (16).

Más claridad, imposible. No cabe duda, sin embargo, que nuestro escritor pone las cosas bastante difíciles, porque lo que presupone todo este razonamiento es un replanteamiento integral de las relaciones entre el creador y la historia, entre el artista y su lenguaje. Pero es de notar, igualmente, que, a pesar de la dificultad, no se podrá mantener ni la libertad ni la independencia del artista, del creador, si no es radicalizando esta marginalidad, si no se coloca siempre contra la corriente, si no se enfrenta a ella y trata de modificar constantemente su curso; conociendo precisamente las fuerzas interiores que la hacen derivar en ese determinado sentido, y que se hallan ocultas siempre por las apariencias del cauce a través del cual discurren. Y esa frontera no se podrá traspasar si no se pone en tela de juicio el lenguaje heredado, si el lenguaje no se acepta como una incertidumbre, como algo que se inventa cada día.

El artista, por lo tanto, debe ser, lo mismo que la vida y el arte, un hombre *total,* cuyo punto de vista sobre la realidad sea siempre simultáneo: sobre la diversidad de los elementos que se conjugan en ese espacio mágico que es el arte, y la vida, y al mismo tiempo sobre la identidad que permite a aquellos elementos diversos tener un sentido, y por lo mismo participar en ese todo. La preocupación constante que existe en la obra literaria de Octavio Paz por la comunicación, por los canales a través de los cuales discurre la comunicación, por la anulación o potenciación de los sentidos dentro del mismo, por el mayor o menor control que sobre éstos ejercen los sistemas de poder, es índice más que evidente de la importancia que concede a este tema, y las implicaciones que el mismo puede tener a la hora de estudiar las relaciones entre el artista y la ideología.

En nuestro país, por ejemplo, estamos acostumbrados a ejercer una severa crítica ideológica sobre las formas artísticas y sobre los artistas; estamos acostumbrados a radicalizar, a polarizar en dos extremos inconciliables la validez o la vigencia de nuestros creadores; dos polos que siempre son excluyentes, puesto que planteado el juicio de esta forma, ésa y no otra es la conclusión —bien pobre, por otra parte— a la que llegamos siempre —bien pobre y bien ingenua, por cierto. La evidencia de una falta de tradición crítica en nuestra cultura puede ser la causa principal de tal situación. Pero también hay que decir que, lo mismo la intransigencia que la falta de conocimiento suficiente para penetrar en los entresijos de la obra como tal, al margen de la influencia sentimental que el escritor o el artista pueda ejercer sobre nosotros (17), han perjudicado por igual a la hora de adoptar una actitud verdaderamente crítica. Más que críticos hemos contado con pontífices de la literatura, con dogmáticos y exclusivistas voceros de una única e intransigente visión de las cosas. Lo que no se puede —de esto no me cabe duda— es seguir manejando unos conceptos culturales que no sólo están desfasados, sino que, además, son oscurecedores, que nunca despiertan del letargo y enredan más y más la maraña, dejando que prolifere el sinsentido crítico. No se trata de entonar aquí una acusación, sin más, movido quizá por la admiración que en este orden de cosas me produce Octavio Paz y su trayectoria crítica tan ejemplar.

Hubo un momento, cuando tratábamos sobre la posibilidad de publicar este libro, en que confesé a mis editores los peligros a los que me entregaba al preparar un trabajo como éste. Corría el riesgo del deslumbramiento y de la consecuente (e inconsciente) eliminación del más elemental sentido crítico y objetivo. Sin embargo, mi convencimiento de que poner al descubierto las razones de la utilidad de Octavio Paz en nuestro panorama crítico era algo imprescindible, me hizo salir adelante en el empeño. Una de estas razones es la que vengo exponiendo; y no de las menos importantes. Cuando un hombre de la significación de Octavio Paz, y él lo confiesa abiertamente, se ha enfrentado críticamente a estos problemas del lenguaje crítico, a estos rigores ideológicos, y pone los puntos sobre las íes del compromiso, creo que vale la pena que nos pongamos a reflexionar.

Cuando vemos ciertos temas, a los que Octavio Paz
se asoma con rigor y con firmeza indiscutibles (y
muchas veces, cual es el caso de la poesía mexicana o
las razones históricas de la conquista y colonización,
en temas que le afectan de modo tan directo), no
podemos pensar sino que su lectura (especialmente en
temas que nos tocan también muy de cerca a nosotros: Antonio Machado, el 98, el modernismo, el
surrealismo...) puede ser una cura de humildad, y una
iluminación. No verlo así es seguir cerrados a las
posibilidades de un reencuentro necesario, y abiertamente crítico, con la imagen de nuestra empobrecida
cultura. El lamento, el planto funerario, el irracional
recuerdo de cualquier tiempo pasado (que siempre
se considera mejor), sin que medie ningún otro propósito crítico, es una de nuestras más pesadas e insopor-
tables cargas.

«La índole de nuestra sociedad es tal —escribe
Octavio Paz— que el creador está condenado a la
heterodoxia y a la oposición. El artista lúcido no
esquiva ese riesgo moral» (18). Pessoa, Cernuda,
Mallarmé, los poetas malditos, los surrealistas... Escritores todos ellos que se plantearon su trabajo como
un diálogo, insatisfecho siempre, entre el artista y su
obra; una entrega absoluta de cada uno a su obra, una
fidelidad no a un determinado credo o ideología (lo
que no quiere decir que no la tuvieran), sino a la obra
como tal, una fidelidad a lo que se quiere decir. La
poesía se aparece entonces en los estudios de Octavio
Paz como una experiencia que se realiza a través de
un fenómeno de separación y combinación simultáneas de elementos dentro de un espacio cerrado.
Espacio (la página) que también es significante, porque si la escritura es un diálogo que se mantiene entre
todos esos elementos, será también una insistente
llamada de atención al uno sobre la existencia del
otro, de *lo otro*. El espacio en el que la obra se
configura es también uno de los elementos que entran
en liza. La página es también significante, espacio que

participa de la significación, manteniendo una relación dual, una relación de alteridad con respecto al texto. Pero la poesía es igualmente una experiencia que participa, en cierto sentido, de la magia, porque el escritor opera sobre todos esos elementos sin conocer previamente los resultados, ya que nunca confirma verdades, puesto que no trata de fundirse con lo trascendente, y mucho menos demostrar teoría alguna... El escritor, el poeta, no es un teórico, ni un constructor de tesis morales, lo que no quiere decir que su condición no tenga una fuerte tonalidad moral; moralidad que es un riesgo, porque es la moral del desclasado, del disidente. Este personaje del escritor, del artista, se convierte así en un ser errante, prisionero y a la vez vagabundo por el mundo y la historia que lo acoge; un personaje que busca e interroga constantemente. Búsqueda e interrogación, condición marginal, que son las únicas fuerzas capaces de dar frutos literarios importantes, toda vez que el lenguaje y el poema no son entonces sistemas de comunicación que le sirven para conectar con ese mundo, sino que se constituyen en constante diálogo que se crea, que nace, a cada nueva acción, a cada nuevo ejercicio espiritual. Por eso, el poema pierde su valor historicista, deja de ser un proceso, para ser una perdurabilidad. El tiempo del poema es el instante, pero un instante que se eterniza. No otra cosa es la creación. A diferencia de la prosa narrativa, que trata de desarrollar un proceso temporal, el poema busca una síntesis de todos los elementos que entran a formar parte de él, incluso aquellos que no son estrictamente verbales. Se trata de una operación mucho más compleja y, por lo mismo, mucho más delicada frente al lenguaje y a la significación.

Tiempo puntual, tiempo del regreso, de la reconciliación, de la recuperación de la inocencia original. Lenguaje puro:

La poesía es el lenguaje original de la sociedad —pasión y sensibilidad— y por eso mismo es el verdadero lenguaje de todas las revelaciones y revoluciones. Ese principio es social, revolucionario; regreso al pacto del comienzo, antes de la desigualdad; ese principio es individual y atañe a cada hombre y a cada mujer: reconquista de la inocencia original (19).

Sé que puede tildarse este razonamiento de demasiado idealista, quizá irracional. Puede que Octavio Paz, en su entusiasmo crítico, movido por esa necesidad de no quedarse callado, de aventurar «algo más que una opinión y menos que una certidumbre: una creencia (...) creencia alimentada por lo incierto, que en nada se funda sino en su negación» (20), se pierda más allá del límite que le permiten los sistemas habituales de razonamiento y quiera sacar de sus casillas a todos los repetidos esquemas críticos que sostienen nuestra cultura occidental. Yo pienso que esa aventura, y ese riesgo, es el que confiere originalidad (y también un gran atractivo, que no sólo deslumbra sino que nos deja dubitativos, que nos hace pensar y repensar) a una obra tan densa, y tan abarcadora, como ésta que trato de encerrar en unas pocas opiniones recogidas sobre la marcha de su lectura.

Volver, pues, a la inocencia original, al pacto del comienzo, que es una tarea individual, porque la colectividad del hecho literario, de la poesía concretamente, no proviene de que el mismo se haya plegado a un sistema de verdades al que tenga que servir, sino que el poema es la posibilidad más grande de la palabra colectiva; y la más cierta:

En un principio, la literatura fue hablada y fue oída, no leída. No solamente fue hablada y fue oída, sino que además la oía un grupo de gentes. Es decir, que el acto de la consumación literaria era un acto de carácter colectivo (21).

La evolución de la obra poética de Octavio Paz es un testimonio más que evidente de lo que aquí decimos. La llegada, en los últimos tiempos, a la construcción de un poema colectivo, el *renga,* no supone otra cosa que la materialización de esa convicción; pero, al mismo tiempo, este sentido colectivo es gemelo del sentido marginal y heterodoxo de la función del escritor: única forma de poder encaminarse a la recuperación de la pureza del lenguaje. Marginación, pureza, términos que suelen ser desprestigiados por críticos más o menos incisivos y dogmáticos. Marginación, pureza, que siempre son malentendidas, y que en el esquema crítico de nuestro escritor significan independencia y naturaleza original de la creación; creación en sentido puro, no contaminada por la feroz glotonería de los sistemas de control de la cultura:

Afirmo que la poesía es irreductible a las ideas y a los sistemas. Es la otra *voz. No la palabra de la historia ni de la antihistoria, sino la voz que en la historia dice siempre* otra cosa *--la misma desde el principio* (22).

Es la única vez que una afirmación de Octavio Paz es tan concluyente; en que su convencimiento crítico se expresa de forma tan categórica. No deja de ser sintomático en un escritor que, como él, siempre ilumina el camino, y con él la posibilidad de la duda o la interrogación sucesiva.

EL TIEMPO Y LA HISTORIA

Esta exposición inicial que acabo de hacer sobre el lenguaje nos lleva hasta las relaciones entre la creación literaria (y artística) y la historia. Relaciones sobre las que se asienta el desarrollo de la obra crítica de Octavio Paz, y que señalarán los puntos más originales de su pensamiento.

Si se parte de la base de que todo para Octavio Paz, en la historia, es diálogo entre el hombre y el mundo; y si lo que se necesita es clarificar la forma en que se establece y mantiene este diálogo; es decir, la significación del discurso y las posibles variaciones que la misma puede experimentar a través de la historia, llegamos a encontrarnos con la crítica de la propia historia, de los diferentes aspectos del tiempo, a los que nuestro escritor caracteriza de forma muy luminosa y particular. Quizá sea su teoría del tiempo, y de la influencia de su diversa aceptación en la obra literaria (en el lenguaje), la más singular de cuántas especulaciones habitan en el seno de su obra. Determinar estos conceptos de tiempo, equivale a determinar la existencia no de una sistemática unitaria, sino a señalar la existencia de una multiplicidad, de una heterogeneidad viva, agazapada tras la máscara de las convenciones culturales. Para Octavio Paz el mundo no es un todo cerrado, sino que se presenta como la resultante de una serie de fuerzas múltiples, de perspectivas diferentes, que reclaman su protagonismo, pero no de forma individualizada, sino como elementos de esa totalidad.

El diálogo entre el hombre y el mundo se encuentra con una serie de dificultades a causa, precisamente, de la incapacidad del lenguaje para superar, o para vencer, la constante presión y asimilación (y hasta anulación) que sobre su autonomía ejercen día tras día los sistemas sociales que lo utilizan. El lenguaje se convierte así, siempre y a pesar de que haya momentos en que afirme su capacidad de total independencia, en una convención establecida, en un sistema o código sobre el cual discurre una nueva convención (semántica en este caso) que es la utilización de ese código para comunicar, lo cual se hace siempre con deterioro de la facultad de creación que la palabra pura comporta. El lenguaje (y la creación literaria más) se encuentra con una insalvable barrera: que el instrumento de su trabajo es el de la comunicación habitual. El escritor ha de trabajar con los mismos elementos que se utilizan en la comunicación cotidiana, y que en ella se han disuelto. Y —esto es obvio— su acción sobre ellos debe estar impregnada de invención, de renovación, de imaginación. Si el lenguaje, como el saber o la iluminación, debe ser compartido, desde el momento en que se monopoliza, desde el momento en que se maneja desde una determinada idea, desde una determinada posición cultural, desde la perspectiva de una verdad que debe ser comunicada, la comunicación, el diálogo, se hace imposible, se convierte en monólogo y se violenta la razón primera de su existencia. Sólo el lenguaje tiene en sí la facultad de acoger, de hacerse lugar de comunión original, donde puede ser realizable el restablecimiento de ese diálogo que la evolución de la historia occidental ha eliminado tenaz y repetidamente.

Al pensarse en el lenguaje como una expresión radicalmente libre, incluso caótica (en el sentido de dispersión original), que es lo que hace Octavio Paz, se comprende inmediatamente cómo el lenguaje manipulado ha sido siempre un fraude, o mejor, esa máscara tras la que se ha ido ocultando de forma constante el verdadero rostro de la sociedad. Quizá parezca extrema esta posición, o si se quiere arriesgada, pero lo cierto es que el estudio que hace Octavio Paz de la historia arroja unos resultados que avalan sobradamente tal conclusión. Lo que ha sucedido no es, como pudiera pensarse, un cambio en la utilización del lenguaje, sino que lo que Paz señala como causa de ese proceso histórico es un cambio en la actitud frente al tiempo y frente a la historia. Por eso, el escritor se ha de convertir en un disidente, como ya hemos apuntado en otras ocasiones; por eso, escribir supondrá un acto de rebeldía, un acto de fe, un «ejercicio espiritual». El escritor, como el místico, niega al mundo, y esta negación supone una búsqueda del silencio originario, de la pura confluencia inicial. Al enfrentarse al mundo y a su concepto del tiempo histórico, Octavio Paz está haciendo lo mismo la crítica de ese tiempo que la crítica de todo un concepto cultural que hemos de identificar como *cultura occidental*. Carlos Fuentes escribe:

> *La obra literaria de Paz es una constante encarnación del tiempo, pero no del tiempo que marcan los relojes (...) sino del triple tiempo humano que, al «arrêter du jour» se instala en el presente sólo para recordar el origen del ser e imaginarlo en la meta* (23).

Esa idea tradicional de Occidente, como idea sistematizadora de una determinada forma cultural; de una cultura regulada, cuyas referencias siempre son concretas (el pasado o el futuro), y que ha configurado una determinada organización social que se piensa siempre en camino hacia ella, o desarrollada a partir de ella. La crítica de Octavio Paz que vulnera ese esquema es muy arriesgada, pero no por ello es menos valiosa. Para nuestro autor son tres las articulaciones temporales en Occidente: de una parte, el *tiempo cíclico,* cuya actitud más significativa es la analogía y cuyo lenguaje caracterizador es la alegoría. Este tiempo cíclico evoca siempre un modelo eterno, un centro invariable al que inapelablemente ha de volverse. Todo el diálogo del hombre con su universo se limitará a una constante representación, a una constante referencia a esa idea madre; el lenguaje, la poesía, será siempre un servidor de esa idea ejemplar y central. El concepto unitario de dios, el concepto del ser y el concepto de la sociedad en tanto que cuerpo único en el que se diluyen las diferencias, son los tres elementos básicos en los que se asienta tal desarrollo histórico. El dogma, la escolástica, la verdad, son los puntos de referencia de esa comunicación. Así es muy fácil comprender cómo ese diálogo pretendido es sólo un monólogo, apoyado por la actitud reverencial que preside a una sociedad ordenada jerárquicamente. La imaginación y el deseo se anulan dentro de los límites de esa imposición unitaria de la historia y del lenguaje.

La época moderna, por su parte, será la época del *tiempo lineal,* y su característica principal es la crítica, la ironía. La razón sustituye a la fe, y se niega el pasado como perfección. La tendencia es caminar en busca del futuro. Del tiempo cíclico, que exigía como referencia el pasado constantemente repetible, se ha pasado al tiempo lineal que avanza constantemente hacia el futuro, pero sin alterar la idea unitaria anterior, puesto que ahora todo dependerá de la idea de progreso, de la idea de utilidad. De un tiempo condicionado por las referencias se ha pasado a otro que, en apariencia, las anula, pero que sólo lo hace como medio para acumular aportes que eviten una detención del progreso, del avance útil. La crítica, que Octavio Paz señala como característica de este momento, sólo va a eliminar a uno de los participantes en ese diálogo incompleto de antes (al pasado), y cifrará su obsesión en una continuidad irreversible hacia el futuro. Nos hallamos en el tiempo del progreso, un tiempo que acentuará su influencia en las últimas décadas ayudado por el avance de la sociedad industrial, y que a la utilidad y a la productividad va a añadir, como valores deseables, la funcionalidad y la practicidad. También entonces el deseo y la liberación imaginativa serán negados en favor de lo necesario, de lo útil. El cuerpo, que en el mundo antiguo se negaba por ser el ámbito de lucha entre el bien y el mal, entre la carne y el espíritu, ahora se niega como capacidad de placer, para destacar su condición de bien rentable y productivo (24).

Esta visión de la historia se desintegra desde el momento en que la época contemporánea empieza a comprender la congelación y consecuente inutilidad e incompetencia del lenguaje. Es el momento en que surgen esos *disidentes* que son capaces de atravesar la máscara del lenguaje y darnos a conocer el otro lado de los signos. La aparición del aquí y el ahora, como valores imprescindibles, del instante como tiempo característico de la revelación, como su expresión más significativa, nos marca el camino para esa vuelta al origen. A través de actos libres y puros (amor, poesía, deseo, imaginación) redescubrimos un mundo múltiple, regido no por la leyes sistematizadas de la convergencia, sino por la leyes cósmicas de la atracción y la dispersión: redescubrimos la dispersión, no la unidad absoluta, la multiplicidad comunitaria: la *otredad*. Se trata del *tiempo puntual,* instantáneo y fragmentario, determinado por lo irracional (un acto irracional —la explosión atómica— es la imagen de nuestra época). La sucesión cronológica líneal no es ya la única, se advierten otras posibles perspectivas: dispersión y conjunción, analogía cósmica, pasión por el *otro* y búsqueda constante del tiempo original, anterior al tiempo histórico. Se ha ingresado, dice Paz, en el tiempo del cuerpo; en el tiempo de la consumación inmediata. Tanto el amor (expresión máxima de la libertad del deseo) como la poesía (suprema acción pura del lenguaje) nos descubren al otro, y con él retomamos el diálogo perdido del origen. El poema, como el amor, será lugar de encuentro de alteridades, lugar de comunión, y por lo mismo de creación colectiva, nunca personalizada:

> *Tiempo y belleza son lo mismo, pero este lema no es algo morboso y retorcido en la mente del autor, aunque en un momento exige la aventura personal de buscar la identidad entre la cosa y la palabra, porque para Octavio Paz la unidad poética esencial es la oración, cuyo valor poético viene conferido por el ritmo y en ese corazón del ritmo se encuentra el hombre* (25).

Quien quiera encontrar sistemas establecidos y definitivos en la obra crítica de Octavio Paz se equivoca de medio a medio. No existe nada de eso. Las revelaciones, o iluminaciones, que nos hace siguen siempre abiertas. Nos pone en la pista —ya lo hemos dicho— para que veamos con nuevos ojos verdades que se aparecían ocultas de tan evidentes y cercanas. Por ello, esta concepción del tiempo lo lleva a un final ambiguo, si se quiere: el caos originario, la pureza del principio, a la que se quiere retornar, se perfila como una utopía, como algo inalcanzable, debido a la propia constitución de nuestra sociedad. Y sólo la poesía permite esta confluencia en el origen. La historia, que hasta el siglo XIX se mantenía nítidamente separada de la vida privada, hoy lo ocupa todo, «invade los pensamientos, deshabita nuestros sueños, nos arranca de casa, nos arroja al vacío público», se ha convertido en un elemento de fragmentación, de dispersión, rompe y evita la individualidad, y la poesía es la única actividad capaz de reagrupar esta dispersión. En nuestro siglo, el lenguaje padece una evaporación de significados, se ha convertido en un «cementerio de signos vacíos» que es la historia, con signos que son garabatos (= «signos cuyo sentido es indescifrable, más exactamente, intraducible»), y la poesía precisa penetrar en el revés de los signos y alcanzar el otro lado de la máscara. Occidente ha ido cerrándose así en un callejón sin salida posible, cuando ha negado con tenaz obstinación la presencia de los disidentes, de los creadores, de la fuerza de la imaginación; cuando ha considerado una transgresión, un crimen social, el deseo, la pasión o el amor.

La actividad que corresponde al escritor es la de encontrar el retorno al origen, a la puereza de la palabra, no aceptarla como fórmula de comunicación, sino como actividad vital. La actividad del escritor debe ser como un asalto, como una búsqueda: asalto a los significados tradicionales, búsqueda de una re-forma semántica que ponga en entredicho los nuevos valores enmascarados que la sociedad industrial ha entronizado:

> El poema es lenguaje, pero lo es con la intensi-
> dad que salta por encima de las barreras de los
> idiomas y se transforma en una suerte de ideo-
> grama (26).

La crítica del lenguaje es la búsqueda del otro lado de los signos; la crítica de la comunicación que se hace cada vez más difícil, más impura, porque ha sido devorada por el propio sistema que la produce. Octa-vio Paz, entonces, critica la postura de McLuhan: si el medio es el mensaje, aun a nuestro pesar, la relación significante–significado, que para Saussure era totalmente convencional, para McLuhan es inma-nente; pero si los medios son signos, como quiere

McLuhan, no deja por ello de ser cierto que los
significados son producto de una convención cuya
clave está, justamente, en la estructura de la sociedad
que ha creado los medios y los ha hecho significantes.
«La sociedad es la que significa, y nos significa, por
ellos y en ellos» (27).

LOS CAMINOS POSIBLES

Reconocida esta dificultad, esta disolución constante de la pureza y entidad del lenguaje, a pesar de que en algunos momentos de su evolución se haya reconocido como un lenguaje crítico, Octavio Paz, que ve la inutilidad de esas excepciones, trata de mantener esa libertad, y esa pureza disidente, a través de la incorporación de otras visiones culturales, a través del análisis y del intento de hacer coherentes con el mundo occidental actitudes culturales que se consideran radicalmente diferentes, o que, aun nacidas en su seno, podrían tener gérmenes capaces de subvertir sustancialmente esos criterios. Octavio Paz llega entonces a estudiar con penetración los fenómenos culturales de la periferia occidental, los fenómenos culturales coloniales, los movimientos de rebeldía juvenil, de una juventud que, aparentemente satisfecha, denuncia el fraude de su historia, de la historia que los acoge y que ha recibido de las generaciones inmediatamente anteriores de una forma pasiva.

Octavio Paz, que ha conocido y convivido con el mundo oriental, que ha padecido la fascinación del Lejano Oriente de forma muy directa, inicia entonces otro de los aspectos sugerentes de su trabajo crítico: la conciliación de los mundos culturales tantos siglos

segregados. Octavio Paz, cuyo origen hispanoamericano es otro de los rasgos que conforman su personalidad, intenta —a través del rescate de un pasado
real— determinar con exactitud y objetividad la identidad de su pueblo. Octavio Paz, en fin, para quien la
durísima represión de los movimientos estudiantiles
de 1968 por parte del gobierno mexicano le sirvió para
adoptar y definir su posición política, trata de expli-
carse hasta qué punto el protagonismo disidente de la
juventud tenía en sí fuerza suficiente para oponerse a
la corriente repetida de la historia que engulle cualquier posición por extrema y radical que en su origen
pudiera parecer.

Su primera pretensión es una síntesis entre los dos
mundos (Oriente-Occidente) pensando paliar así las
carencias y frustraciones de la evolución de la cultura
occidental, incorporando una creencia y una cultura
donde la unidad desaparece, y donde el mundo del
diálogo, de la alteridad, supone el sustento primario:

> *No sé si estará en lo cierto (Lévi-Strauus) al
> pensar que el Islam impidió el encuentro entre el
> budismo y el cristianismo, pero no se equivoca al
> decir que este encuentro habría disipado el hechizo
> terrible que ha enloquecido a Occidente: su carrera
> frenética en busca del poder y la autodestrucción.
> El budismo es la malla que falta en la cadena de
> nuestra historia* (28).

Ese mundo oriental, con el que Octavio Paz se
encuentra y del que Octavio Paz se enamora, le ha
enseñado la poderosa sabiduría del aprendizaje del
silencio, de la negación del mundo no para apropiarse
de él, sino para destruir la ilusión del yo, de lo
personal, en un silencio que, sin embargo, no deja de
emitir significados. El budismo es, pues, una actitud
disidente que conduce al silencio, pero quizá sea más
positiva de lo que parece puesto que no se trata de un

silencio instintivo, sino del producto de una crítica racional; no es un silencio originario que tienda a dispersarse en el grito, sino que se trata de un discurso que culmina en el silencio. No supone un acto aislado o espontáneo, sino una disciplina y una perseverancia, una paciencia:

> Los significados tradicionales han perdido significación. Son signos huecos. En un mundo dominado por los medios de comunicación nadie tiene nada que decir, nadie nada que oír. Si las palabras han perdido sentido, ¿cómo no buscarlo en el silencio? El interés popular por el budismo y otras religiones orientales delata la misma carencia y el mismo apetito. Sería un error creer que buscamos en el budismo una palabra ajena a nuestra tradición: buscamos una confirmación (29).

Habitualmente se suele creer como algo utópico e impensable cualquier intento de fusión entre las grandes culturas del mundo, entre el mundo oriental y el occidental. Se mantiene tácitamente la convicción de que nos hayamos ante una especie de absurdo histórico. Como el propio Octavio Paz escribe, es «la acostumbrada condenación en nombre de la cultura clásica del humanismo grecorromano y cristiano. Una cultura en descomposición y un humanismo que ignora que el hombre es los hombres y la cultura las culturas» (30). Es ésta la causa que mueve a Octavio Paz a descubrir e incorporar el mundo oriental (al que ha estado vinculado durante gran parte de su vida) a la cultura occidental, y tratar de sacar de aquél todas las enseñanzas posibles. No se ha mantenido nuestro escritor como espectador del Oriente, sino que ha querido hacerlo suyo, que ha querido hacerse partícipe de él, y ha intentado ver, a su luz, una posibilidad crítica que redima al mundo occidental de siglos de mezquindad y falsedad. Para quienes piensen en la cultura como algo adquirido, imposible de ser cuestionado, la posición de Octavio Paz puede parecer herética, incluso una abdicación de sus supuestos históricos. Pero es evidente que, quienes así piensan, no han tenido la suficiente clarividencia para comprender que actuando así, que observando la cultura desde esa perspectiva que ellos adoptan, lo que se consigue es negar la vitalidad de esa misma cultura, encerrarla y conservarla en los empolvados museos de la reverencia y el acatamiento; esto sí, irracionales.

Toda cultura que no esté abierta a cualquiera de los embates de la crítica es una cultura muerta. Toda cultura que no sea capaz de despertar la inquietud, la oposición, e incluso el desasosiego, quedará implícitamente borrada del contexto histórico en el que se ha producido. Y esto es lo que hace Octavio Paz: imponer un reactivo al mundo occidental. El mismo un marginado, un hombre de una cultura que es producto de una colonización, accede a otra cultura colonizada y se sorprende al encontrar una serie de apoyos y de posibilidades, tanto en las ideas básicas generales (concepto de historia, del mundo, de la creencia) como en los rasgos específicos del arte y la literatura (representación simbólica, haikú, renga). Y precisamente lo asume como reactivo porque su contraste, su carácter específico frente al mundo occidental radica en la presencia de lo erótico, de la cópula de los elementos que lo constituyen, en la conjunción de seres duales o múltiples, frente a la unidad básica de Occidente.

Donde encontramos una erotización de las ideas es en la India. Ahí los conceptos se sexualizan, se vuelven cuerpo. Los sistemas son conjunciones eróticas. Esto es muy hermoso. En la India no se presenta la dualidad vida-muerte como en el barroco español porque la muerte ha sido absorbida por la rueda de la transmigración. En cambio, hay dos polos que apenas sí aparecen entre nosotros; el polo de lo femenino y el polo de lo masculino. El arte y la literatura de Occidente son predominantemente masculinos, mientras que en el arte y la religión indias hay una ósmosis, una comunicación continua entre lo masculino y lo femenino (31).

Obsérvese que habla de una comunicación contínua, de un diálogo. Frente a ese monólogo de la asunción del lenguaje por parte del poder, en el mundo occidental, Oriente propone la serenidad enriquecedora del diálogo constante. Por eso, el mundo oriental, y es lo que hace insistir a Octavio Paz en su estudio y asimilación, es un mundo que no concibe el cuerpo social como una unidad, sino como una conjunción en el deseo; su estructura básica es la pluralidad, el flujo, la relación; hasta el propio individuo ya es, él mismo, una sociedad. El concepto de tiempo, por lo tanto, también es diferente: mientras el tiempo occidental es el tiempo del progreso, el de la afirmación o la negación del pasado, el tiempo en Oriente es producto divino; es lo impersonal, la disolución en el instante. El dios no es un dios creador, personal, y el alma y el «yo» sólo son «ilusiones perniciosas».

Octavio Paz, lo que trata —al enfrentarse a estos conceptos aquí sumariamente enumerados— es de asimilar el lenguaje que los produce, y no encuentra inconveniente alguno en reunir los conceptos de sentimiento y sensibilidad privativos del Japón al rigor del pensamiento y la filosofía sistemática de la India, para conseguir, a través de esa síntesis, «un estilo de vida, otra visión del mundo y, también, del trasmundo». Un estilo de vida; un estilo que diga la vida, una manera de decirnos. Por ello, acude inmediatamente a los canales de comunicación que producen un pensamiento así: el lenguaje es siempre una tra ducción del lenguaje que es el mundo. No se trata de referencias a verdades establecidas e inmutables, sino de la traducción de un lenguaje cósmico, que lo abarca todo desde el comienzo: la Palabra del origen.

Es un lenguaje metafórico, pero una metáfora que, al mismo tiempo que se expone ante nosotros para ser descifrada, está para que la contemplemos, para que la gocemos sensorialmente. Nos movemos en el ámbito de la contemplación copulativa. La escritura es el doble del cosmos, una transmutación de la naturaleza humana en signo. Y no se trata de una simbología hermética que se intelectualiza o espiritualiza, sino que vuelve corpóreas las palabras. Todo este proceso de la escritura supone un constante viaje, un camino, una búsqueda del origen, pero no para finalizar en él, no para hacerlo centro de todo lo decible, sino para que sea reconocido como la confluencia inicial, como el fluir primario que permite continuar (o empezar siempre) el camino. El minucioso trabajo de creación y crítica simultáneas que supone *El mono gramático,* último libro hasta el momento de Octavio Paz, es una explicación más que suficiente de todo esto, como lo fue, en su momento, la construcción de un *renga* con poetas occidentales de diferentes lenguas.

Haikú y *renga* son las dos formas poéticas orientales en las que Octavio Paz reconoce estar más puros esos cauces necesarios para la liberación del lenguaje, y por supuesto del texto creado a través suyo. *Haikú* y *renga* son dos formas textuales que independientemente de su contexto imponen una necesidad: al ser descifradas han de ser también contempladas: escritura, grafismo y pintura se funden de manera absoluta en ellas, y a partir de esa fusión, de esa confluencia, es desde donde empieza a tener razón y singularidad esta escritura literaria; y a partir de donde empiezan a mostrársenos las posibilidades de una síntesis con las formas poéticas de Occidente. El *haikú,* por ejemplo, es capaz de reducir a dieciséis sílabas todo un universo, y a una sola exclamación el infinito; es decir: permite condensar y concentrar al máximo la palabra y la imagen, y a través de una construcción extraordinariamente simple (tres versos de cinco, siete y cinco sílabas, respectivamente) da cabida a una pluralidad de reflejos y alusiones, en los cuales ha de participar de modo muy directo el lector, eligiendo, sin la intervención del azar, entre las diversas posibilidades que le brinda el texto. Concentración y dispersión máximas, sin que intervenga nunca la arbitrariedad. Oigamos al propio Octavio Paz:

> *La Capilla Sixtina —dice Keene— se presenta como algo acabado y perfecto: al reclamar nuestra admiración, nos mantiene a distancia; el jardín de Ryoanji, hecho de piedras irregulares sobre un espacio monocromo, nos invita a rehacerlo y nos abre las puertas de la participación* (32).

Por su parte, el *renga* ofrece otras posibilidades no menos sugestivas. La práctica del *renga* nos brinda dos aspectos fundamentales para incorporar al lenguaje literario occidental: de una parte, el dominio de la combinatoria. El poema surge como producto de una serie de experiencias lógicas, de una suerte de composición matemática, que tiene mucho también de las experiencias formales del arte de vanguardia; pero, por otra parte, es un juego colectivo: para culminar un *renga* es necesario el concierto de un grupo de voces que anulen la personalidad unitaria del creador y nos ponga al descubierto el carácter comunitario de la escritura. Disolver la singularidad del autor en favor de la colectividad, una colectividad incluso lingüística. Las diferentes lenguas, para Octavio Paz, no excluyen la existencia de un lenguaje único: el de la poesía. El *renga* no es una concentración normativa, una disciplina de la escritura impuesta al escritor (o escritores, en este caso), como pasaba con el *haikú*, sino que es una experiencia que a su vez es culminación, que es tentativa frente a las posibilidades del lenguaje. No es, por lo tanto, un simple resultado del azar esa obra que escriben en París, durante la primavera de 1969, Octavio Paz, Edoardo Sanguineti, Charles Thomlinson y Jacques Roubaud, que titulan, precisamente, *Renga* (33), y que sucede —en la continuidad de la obra poética de Paz— a sus experiencias espaciales y visuales de *Blanco* y *Topoemas*. No se trata de una eliminación de la experiencia anterior, de una desilusión frente a las posibilidades del grafismo dentro del espacio de la página, que ha experimentado en esos dos últimos libros, sino que se presenta como una consecuencia evidente de todo el proceso de investigación anterior sobre la palabra, sobre el lenguaje y sobre las razones de la creación poética pura. Y lo más importante de todo es que vemos, en este proceso seguido por la poesía de Paz, una intención muy clara de ofrecer confirmación práctica de toda la especulación crítica al respecto.

La obra de Octavio Paz es la obra de un creador, no únicamente porque haga poesía, sino porque su crítica lo lleva a la creación de nuevos cauces para el lenguaje, de nuevos canales para el desarrollo del mundo, del camino hacia el origen primero, hacia el encuentro del tiempo inicial de las relaciones cósmicas. Con Octavio Paz no sabemos nunca dónde está el fin, porque él tampoco se propone llegar hasta un límite, sino que se empeña en quitar esas puertas que los tenaces comisarios de la cultura occidental se empeñan en poner al campo; porque adopta una postura marginal, independiente, y utiliza el lenguaje no para repetir el ciclo de la recuperación del modelo, sino para interrogar y descubrir las fuerzas que hacen del mundo algo vivo, libre y lleno del estallido revulsivo del deseo, frente al temor, la angustia, el miedo y la negación que los sistemas implantan en torno a las potencias del hombre. Oriente no ha sido sino uno más de sus alumbramientos, por él nos toca caminar a nosotros, con la misma confianza con que Octavio Paz se ha aventurado por sus senderos.

La rebelión juvenil atrae a Octavio Paz precisamente por el aspecto menos celebrado habitualmente de la misma: por haber hecho de la pasión una «realidad magnética». La frase acuñada en aquella primavera de 1968, en que desde París se extendió por todo el mundo el sorprendente estallido de la presencia juvenil («La imaginación al poder»), tiene, a la hora del balance que hace Octavio Paz, una importancia trascendental, tanto por lo que representa de revulsivo, como por las implicaciones ulteriores que el propio escritor mexicano apunta con significativo recelo: la más o menos rápida asimilación del movimiento por el mismo orden vulnerado, y el restablecimiento, por medio de la represión de esa rebelión (en parte una forma de autoexpiación de la propia sociedad), del estatus inquebrantable.

Octavio Paz habla, pues, de la inconsistencia política que late en el seno de esa rebeldía juvenil, de la carencia de una sólida ideología o de un pensamiento estructurado, y por contrapartida destaca, como imprescindible para que la sociedad occidental se encuentre a sí misma, para que sea factible el restablecimiento del diálogo tantas veces roto entre el hombre y su historia; destaca, digo, la actitud abierta de los movimientos juveniles, y su extrema sensibilidad. Al tratarse de una rebelión no filosófica sino poética, no política sino religiosa (entendiendo el término en su sentido etimológico), lo que la materializa no es una heterodoxia, sino una herejía: «no es tanto una disidencia intelectual, una heterodoxia, como una herejía pasional, vital, literaria». Se trata de una rebelión integral del hombre, una rebelión cuyos orígenes (y las similitudes no son causales) habría que encontrar lo mismo en el romanticismo que en la postura herética para con el lenguaje y las normas de la retórica que muestran los poetas *malditos,* y que también son visibles en el surrealismo. Es la rebelión original: el hombre que arrojado al tiempo busca otro tiempo, un tiempo que no sea el retorno a la eternidad, sino que sirva para descubrir la incandescencia del instante. Un tiempo que sea de verdad colectivo: el tiempo del amor, el tiempo de la poesía, el tiempo de la rebelión; un tiempo en que pasión pública y pasión privada

se fundan en una; en el que la acción vivida se sienta
como una representación estética.

Octavio Paz reconoce igualmente la imposibilidad
de alcanzar este tiempo de modo inmediato; conoce
lo utópico que resulta un planteamiento así, por eso
arriesga una hipótesis, que es al mismo tiempo un
deseo: sólo la conjunción entre poesía y rebelión dará
la posibilidad de «regreso al signo *cuerpo:* la encarnación de las imágenes, el regreso de la figura humana,
radiante e irradiante de símbolos» (34). Y ha reconocido igualmente el carácter marginal de esta rebelión,
y la consecuente y fácil asimilación por parte del
orden histórico, puesto que no ha sido un eslabón
más de la cadena de movimientos revolucionarios que
han perpetrado las clases tradicionalmente protagonistas de tales sucesos:

*Desde el punto de vista de las doctrinas revolu-
cionarias, lo que resulta realmente poco explicable
es la actitud de los jóvenes: nada tienen que ganar,
ninguna filosofía los ha nombrado agentes de la
historia y no expresan a ningún principio histórico
universal. Extraña situación: son ajenos al drama
real de la historia como el corderillo bíblico era
ajeno al diálogo entre Jeovah y Abraham. La ex-
trañeza desaparece si se advierte que, como la
totalidad del rito, la víctima es una representación:
mejor dicho, una hipóstasis de las antiguas clases
revolucionarias (35).*

Para Octavio Paz lo importante no es haber encontrado soluciones que fijen la imagen disuelta y con-
fusa de nuestro mundo, de nuestro siglo y de nuestra
cultura occidental; lo que nuestro escritor hace es
enfrentar críticamente su historia, alumbrar posibles
caminos, en el entendimiento de que siempre serán
limitados, o sobrepasarán las previsiones de una materialización práctica más o menos inmediata. El
mundo oriental y sus formas, la rebelión juvenil y su

peculiaridad, pueden abrir nuevas zonas de entendimiento, pueden plantear disyuntivas hasta ahora ocultas. Lo que se impone es un análisis de esas posibilidades, y un gesto de humildad para reconocer la pluralidad de enfoques que admite ese desconocido diálogo entre el hombre y el mundo.

HISPANOAMERICA:
UNA REALIDAD QUE DECIMOS

La vinculación y el compromiso de Octavio Paz para con la idea de Hispanoamérica hacen que ésta siempre figure en un primer plano de sus preocupaciones. Hispanoamérica es, para él, una realidad a la que hay que investigar críticamente. Enfrentarse a las ideas establecidas, en relación con el origen de *lo americano,* al lenguaje como elemento indispensable de esa peculiaridad y a la trascendencia de la escritura y la creación artística americanas no es una tarea fácil ni exenta de riesgos, ni siquiera para quienes, como Octavio Paz, viven y sufren América cada día. Nuestro escritor apura la crítica hasta llegar a sus últimas consecuencias. Y no se limita a definir, con mayor o menor precisión, la imagen de América, ni a recuperar esa identidad perdida, oculta u olvidada. Lo que le importa realmente es ejercer sobre ella una incidencia crítica suficiente para dilucidar con exactitud qué son esas «mitologías históricas y políticas» que, al tiempo que representan lo más genuino de su personalidad, se utilizan como los aditamentos más repetidos de la peligrosa máscara que oculta la transparencia de su origen:

Un feudalismo disfrazado de liberalismo burgués, un absolutismo sin monarca pero con reyezuelos: los señores presidentes. Así se inició el reino de la máscara, el imperio de la mentira. Desde entonces, la corrupción del lenguaje, la infección semántica, se convirtió en nuestra enfermedad endémica; la mentira se volvió constitucional, consustancial. De ahí la importancia de la crítica en nuestros países (...) Si hay una tarea urgente en la América Hispana, esa tarea es la crítica de nuestras mitologías históricas y políticas (36).

La crítica de Octavio Paz no se para en barras, y es eficaz, sobradamente eficaz. Denunciar la corrupción del lenguaje revolucionario como el máximo grado de envilecimiento del mismo es una de las más contundentes revelaciones de nuestro escritor. La historia americana ha sido siempre una historia sufrida. Nunca el hombre hispanoamericano ha hecho su historia, sino que la ha padecido; Latinoamérica, como el resto del Tercer Mundo, ha sido siempre objeto de la historia, nunca su protagonista. Nos encontramos, pues, ante un mundo totalmente desarraigado, donde no sólo ha habido carencia de orígenes, o un oscurecimiento de los mismos, sino también una carencia de continuidad. Por lo tanto, la tarea inmediata que se impone a las conciencias críticas americanas es la urgente necesidad de determinar su identidad:

No se trata únicamente de liquidar un estado de cosas injusto, anacrónico, y que nos condena, en lo exterior, a la dependencia, y, en lo interior, al ciclo inacabable de la dictadura a la anarquía y de ésta otra vez a la dictadura; también, y sobre todo, se trata de recobrar nuestro verdadero pasado, roto y vendido el otro día de la independencia (37).

Este pueblo así constituido tiene como handicap también el hecho de una *hybris,* un mestizaje cultural

originario, que lo pone en una situación igualmente
difícil toda vez que esa recuperación de la identidad,
que es a todas luces imprescindible, tiene como contrapartida, el habitar la línea fronteriza entre el mito y
el arrebato pasional, nada crítico, y un origen oscuro,
entre mágico y religioso, que ha gozado del favor de
lo prohibido, de lo escondido, durante mucho tiempo:

> *Desde la independencia, el proceso de identifica-
> ción sentimental con el mundo prehispánico se
> acentúa hasta convertirse, después de la Revolu-
> ción, en una de las características más notables del
> México moderno. Lo que no se ha dicho es que los
> mexicanos en su inmensa mayoría han hecho suyo
> el punto de vista azteca y así han fortificado, sin
> saberlo, el mito que encarna la pirámide y la piedra
> de sacrificios* (38).

Esta confluencia de elementos, y esta confusión de
las relaciones entre el hombre y su mundo, se produce justamente por la carencia de una verdadera
crítica, a todos los niveles, en el entendimiento del
mundo americano. A partir del siglo XIX, el
modernismo descubre las posibles razones de una
caracterización de la personalidad, la exaltación de la
naturaleza, que supone un punto de vista, una incidencia crítica sobre la misma; y el descubrimiento del
indio, que se revela no como pasado, sino como
«presente que irrumpe», no como naturaleza, sino
como realidad humana, puede derivar en exotismo
mistificado, si no se hubiesen encontrado sus escritores con la estética cosmopolita de Occidente.
Octavio Paz trata de apuntar las líneas maestras de
una posible andadura crítica sobre la conciencia de
Hispanoamérica, atendiendo primordialmente a los
temas más inmediatos y más importantes de la América hispana. Y uno de los primeros objetivos, en este
orden de cosas, es la determinación exacta de la
herencia española. Es interesante la posición que

adopta Octavio Paz al respecto, porque si bien es cierto que la independencia americana supuso en su momento (y después la actitud se ha propagado con cierta virulencia) una actitud negadora de todo el pasado español; las afirmaciones de Paz, que no pierden de vista la necesidad de determinar una personalidad peculiar, diferente de la española, no dejan tampoco de precisar con rigor en qué consistió la herencia española, y cuáles fueron las limitaciones que la misma impuso. En primer lugar, España trasplanta al continente nuevo una cultura ya hecha, suplantadora de la cultura indígena, que se ocultará poco a poco como nexo de esos pueblos. Es un eslabón perdido que se hará muy difícil de rescatar; pero —y esto lo advierte Octavio Paz con especial acento— la cultura española que viene al continente americano es una cultura que está alejada del casticismo o la tradición *españolista;* que ya ha superado el concepto medieval y se ha impregnado de modernidad; es más, se trata de una cultura universal, producto de la influencia renacentista. Y si bien se sepultan los orígenes culturales anteriores a la conquista y colonización, esa lengua y esa cultura hechas confieren al mundo americano una suerte de tono universal, cosmopolita, que se convertirá en una de sus características peculiares, diferenciadoras de la cultura metropolitana, que a través de un reforzamiento de lo tradicional y casticista ha ido desplazando la concepción renacentista, e italiana, de lo moderno:

España trasplanta el arte y la poesía del Renacimiento a tierras americanas. Ellos constituyen nuestra más antigua y legítima tradición. Los americanos de habla española nacimos en un momento universal de España. De allí que Jorge Cuesta sostenga que el rasgo más notable de nuestra tradición es el desarraigo (...) La heterodoxia frente a la tradición castiza española es nuestra tradición (39).

Este rasgo de la universalidad va a depositarse, y a desarrollarse, en Hispanoamérica hasta constituir una de sus más singulares y positivas características culturales: una herencia viva, como más de una vez confiesa Octavio Paz. Es importante esta actitud de nuestro escritor, no porque pueda suponer un reconocimiento incondicional de la herencia hispana, negada ciegamente por aquellos que la ignoran, sino porque expresa muy claramente que su propósito está muy por encima de los prejuicios y mezquindades patrioteras y se asienta en la verdad, se obstina en alcanzarla siempre.

En otro orden de cosas, la misma herencia política española, sigue pensando Octavio Paz, confiere al mundo americano una especial configuración frente a los otros continentes que han padecido una colonización europea. Ni religiosa ni políticamente, ni tampoco en el orden económico, Hispanoamérica se parecerá a sus compañeras de destino histórico. Que sobre América, sobre Asia o sobre Africa pese aún el fantasma de la colonización, la presencia más o menos explícita de los pueblos desarrollados, no quiere decir que sus problemas de identificación sean iguales. La economía hispanoamericana es diferente; y en lo político, la colonización, que fue fusión y confusión de los elementos integradores de la misma, tampoco puede equipararse a los otros mundos. Es más, el hecho de la misma independencia supone otro discrimen esencial. La no pervivencia de la religión o religiones prehispánicas ante la penetración cristiana y católica, permitió que ésta última no fuese un obstáculo, sino una vía para acceder a la modernidad. La crítica del cristianismo fue un cambio en la historia de estos países, no una conversión, como sucede en Asia o Africa. Ello nos lleva a la conclusión de Octavio Paz: la cultura hispanoamericana, que es una búsqueda desesperada del origen necesario, de la identidad, confiere a la revuelta americana, a la independencia, un carácter mucho más amplio, mucho más complejo y vario. La revuelta no sólo fue un hecho coyuntural, sino que supuso la determinación de un lenguaje, de un estilo peculiares. No es extraño, pues, a la evolución normal del castellano el hecho de que, a partir del siglo XIX, la historia hispanoamericana, que sigue participando de un lenguaje común, el castellano, sea una constante determinación de rasgos peculiares, que ese mismo lenguaje vaya adquiriendo un sentido específico, y que la relación que se entable entre ese lenguaje y el hombre que lo emplea (sobre todo cuando ese hombre es un escritor) sea una relación también inédita en el mundo metropolitano peninsular: es una relación de desconfianza, de recelo; para emplear el término que utiliza Paz, es una relación de incertidumbre:

> *¿Qué nos define frente a los españoles? Ante todo: ciertas diferencias lingüísticas; sobre todo, una actitud distinta frente al lenguaje que ellos y nosotros hablamos. Los especialistas afirman que es mayor la unidad lingüística en Hispanoamérica que en España. Nada más natural: el castellano fue trasplantado a nuestras tierras cuando ya era un idioma hecho y derecho, el idioma de un Estado que lo había escogido como vehículo oficial y exclusivo* (40).

Me parece ingenuo pensar —como se ha hecho desde nuestra atalaya crítica más de una vez— que no podamos hablar de vigencia, de renovación, de novedad o de descubrimiento en los nuevos escritores hispanoamericanos por el mero hecho de que estén escribiendo en la misma lengua, y porque pese sobre ellos la misma tradición de la historia literaria. Invocar a Cervantes, o a Valle-Inclán, a Quevedo o a la picaresca, cuando se trata de determinar los rasgos de esas obras nuevas me parece, además de injusto, totalmente inexacto, pues si bien esa tradición puede habitar en ellos, y ellos mismos la confirman más de una vez, no quiere decir que esa obra que ellos hagan, en el camino de reencuentro con su identidad, sea menos original. Lo que de verdad los distingue es, precisamente, como apunta Paz, una distinta, y totalmente original, actitud ante el lenguaje; un recelo y una desconfianza porque conocen el efímero valor de las significaciones. Félix Grande ha señalado dónde está la desorientación de nuestra crítica al respecto, cuando habla de los nuevos narradores hispanoamericanos:

> *Malo es no advertir la revitalización que los creadores hispanoamericanos están llevando a cabo en la cultura narrativa en lengua castellana. También lo es no advertir que ellos no nos traen ninguna solución, sino desazones (...) La movilidad de sus textos, el porcentaje de riesgo que la aventura estética de sus libros supone, espanta simultáneamente al aburrimiento y al maniqueísmo, las dos heridas por donde se desangra todo propósito literario* (41).

Pero como nuestra crítica siempre ha exigido confirmaciones, soluciones que valgan para continuar sin problemas, cuando lo que se requiere para avanzar son precisamente problemas, interrogaciones, disidencias, pues no podremos ponernos de acuerdo al respecto, y se seguirá hablando con implícita sorna de una obra que, todavía, no ha sido bien entendida entre nosotros. El mundo y la historia americana se están haciendo a cada paso, cada día. El pasado no existe (sólo se puede remontar al primer cuarto del siglo pasado o, si se quiere hablar del pasado indígena, hemos de evocar una idea diferente, otra cosa). Por lo tanto, el hispanoamericano, y la obra de Paz viene a confirmarlo, está enfrascado en el drama de su personalidad; no ha sucedido como en España que lo que se ha tratado de rescatar, de restaurar, es el pasado espiritual; se ha entonado siempre una elegía, nunca se ha investigado en el drama de la existencia.

Pero resulta —ya lo hemos dicho— que América es lenguaje, conciencia de lenguaje, y actitud frente a él:

> *América no es una realidad dada sino algo que entre todos hacemos con nuestras manos, nuestros ojos, nuestro cerebro y nuestros labios. La realidad de América es material, mental, visual y, sobre todo, verbal: hable castellano, inglés, portugués o francés, el hombre americano habla una lengua distinta a la europea original. Más que una realidad que descubrimos o hacemos, América es una realidad que decimos* (42).

Es cierto que, originalmente, la presencia de una lengua dada, hecha y derecha como ha escrito Octavio Paz, podría haber sido un impedimento grave para desarrollar las peculiaridades, pero la conexión universalista de ese idioma culto permite que el español de América se enfrente críticamente a la tradición casticista que era «costra y cáscara de la casta Castilla». Y permite igualmente que, desde ese castellano hablado al otro lado del océano, surjan los elementos condicionantes de la revolución lingüística y literaria de la época contemporánea. España dejó una lengua, impuso una lengua que sustentaba su predominio político, pero en esa misma lengua habitaban los rasgos dispersadores, no unificadores, aprovechados después, puesto que su condición era moderna y no tradicional. Si España tuvo que vérselas, en su territorio peninsular, con una pluralidad lingüística, y la unificación del castellano como lengua oficial es producto de una solución artificial provocada por las necesidades de un determinado momento histórico, cosa que no excluyó la pluralidad existente, sino que la mantuvo en un estado de latencia más o menos largo, el español de América se afirmará como una persistencia unitaria, pero abierta siempre a las influencias más dispares, bien sean indígenas, bien sean de las otras lenguas europeas coincidentes con ella en América. Mientras que el español de España es sustancialista, atiende a los nombres y a las cosas, el español de América se caracteriza por su espacialidad, y mientras que el castellano español afirma su fe en la tradición castiza, el mestizaje, lo híbrido, es la característica personal de la lengua de América. No pluralidad de lenguas, como ocurre en la Península, sino una lengua abierta a plurales peculiaridades; una lengua en disposición de crearse y construirse día a día. Por eso es el lenguaje en América una incertidumbre, mientras que en España se admite como una certeza:

Entre los españoles y su idioma no hay distancia; ningún escritor español moderno ha puesto en tela de juicio el lenguaje (...) para los hispanoamericanos (...) el idioma es una de nuestras incertidumbres. A veces, una máscara, otras, una pasión, nunca una costumbre. Los españoles creen, ustedes, creen en lo que dicen, incluso si dicen mentiras; los hispanoamericanos nos ocultamos en las palabras, creemos que el lenguaje es una vestidura. Si la desgarramos nos desollamos; descubrimos que el lenguaje es el hombre y que estamos hechos de palabras, dichas o no dichas, unas triviales y otras atroces. Pero para saberlo hay que hacer la prueba del desallamiento y pocos se han atrevido (43).

Y por el lenguaje llegamos a la literatura. También la explicación que da Paz de la literatura hispanoamericana puede sernos de utilidad. En principio, y a la vista de lo que venimos diciendo, hemos de confirmar la actitud de búsqueda, de investigación y de integración en torno a una personalidad no del todo definida; y también el carácter plural de esta literatura, no sólo por la confluencia interna de elementos culturales nuevos, sino por la atracción de lo universal y cos-

mopolita. Además, esa especial condición de lenguaje, de expresión y estilo, que es América, permite
comprender que su literatura sea, precisamente, el
más claro índice de tal configuración. Los orígenes de
la literatura hispanoamericana han de coincidir necesariamente con los orígenes del español americano;
las literaturas o las lenguas anteriores fueron desbor-
dadas rápidamente por el castellano hecho y cultivado
literariamente que llega con la conquista. Pero
—como vimos— también este castellano que viene
introduce rasgos definitorios de una modernidad, y es
especialmente interesante ver cómo a través de esa
integración en lo universal, los americanos se encuentran con sus orígenes, necesitan dilucidarlos. Octavio
Paz explica que, mientras la literatura española busca
su universalidad por medio de la exaltación de sus
orígenes, a través de la confirmación del carácter
tradicional castizo, la literatura hispanoamericana, a
partir del modernismo (y el proceso es paralelo al de
la lengua), desarrollará la conciencia de sus peculiaridades, empezará a sentirse atraída por su pasado
histórico prehispánico, después de asimilar y de entrar en contacto con una literatura que, salvando los
modelos tradicionales de la literatura peninsular, trata
de conectar con el parnasianismo y simbolismo. Sólo al
entrar en contacto con la estética cosmopolita de
Occidente, que empieza a despertarse por entonces al
influjo de las visiones y estilos no tradicionalmente
occidentales, de la estética colonial, y lo transforman
en obras vivas y contemporáneas, es cuando los
americanos comprenden la singularidad de su estética
anterior a la conquista. Lo náhuatl en México, por
ejemplo (y a ello se refiere Octavio Paz), se convertirá en el punto de atracción más singular de Mesoa-
mérica:

> *El punto de vida náhuatl puede ser decisivo en la
> lectura de la mitad aún ilegible —a condición de
> que se utilice como hipótesis contradictoria.*

*Dentro de la unidad fluida que es la civilización
mesoamericana, lo nahua es una ruptura: es el
punto de vista contrario al de las épocas clási-
cas* (44).

Y Paz confirma que no se pudo dar un retorno a
esas fuentes, una confirmación de esa necesidad,
hasta que no se conocieron otras cosas; por ejemplo:
si no se hubiese pasado antes por la experiencia del
surrealismo o, como en el caso de Rubén Bonifaz
Nuño, por la poesía latina. Se trata, pues, de inventar
una tradición, un origen, y de encontrar el lenguaje
adecuado para ello. La literatura hispanoamericana,
entonces, se va a hacer fundamentalmente imaginativa, porque tiene que imaginar precisamente todo ese
origen, y porque tiene también que inventarse un
vehículo para comunicarlo, para fundarlo. Un origen
que es pasado, que es una realidad en estado primario
y que, por lo mismo, está antes del tiempo; una
antigüedad anterior a la historia misma.

El primer gran libro de Neruda se llama Residencia
en la tierra. *No es Chile, ni tampoco la América
precolombina; es una geología mítica, un planeta
en fermentación, putrefacción y germinación: el
amasijo primordial* (45).

Así (y podemos recordar la disquisión de Paz en
torno a la poesía y el retorno al origen de la palabra, a
la palabra original), la palabra en la poesía hispanoamericana, en su literatura, no es la trasmisión de unas
determinadas verdades, conceptos o tradiciones, sino
que es la fundación de esa tradición, una fundación
que supone, al propio tiempo, una creación pura. El
mundo del modernismo de Darío, o el vanguardismo
de Huidobro, o el mundo de los símbolos cultos de
Borges, o el primario y elemental de Neruda, o el
desgarrado periplo por la culpa que evidencia César
Vallejo, no hacen otra cosa que traspasar las coorde-

nadas del tiempo, incluso las de un tiempo anterior, para establecerse en el ámbito mucho menos reconocible a la luz de la historia, pero mucho más real desde la perspectiva de ese hombre que la ha sufrido y que, un buen día, se encuentra con el asombro de su mundo y de su lenguaje enriquecido. Obsérvese también que todos estos escritores, a los que Saúl Yurkievich llama precisamente *fundadores* de la poesía hispanoamericana moderna (46), lo son en el genuino sentido del término. Unamuno, por ejemplo, mostró su asombro porque Darío había dicho en castellano cosas que hasta entonces no se habían dicho con esa lengua, ni pensaron jamás decirse (47). El modernismo fue una idea extraña a la tradición castellana. No suponía una reforma de las bases sobre las que había discurrido la literatura en nuestra lengua: llevó a cabo una radical transformación de postulados; buscó y halló «una respuesta de la imaginación y la sensibilidad al positivismo y a su visión helada de la realidad, por haber sido un estado de espíritu pudo ser un auténtico movimiento poético» (48). Se trataba, además, de una visión distinta del mundo, impulsada por el positivismo americano, y por el encuentro con la capacidad creadora de la palabra europea que los poetas franceses contemporáneos empezaban a desarrollar. La naturaleza para los modernistas deja de ser una referencia a algo exterior y se convierte en «morada del espíritu»; y el ritmo, la concordia, ya no es la vía de acceso a la salvación, sino el camino para alcanzar plenamente la reconciliación, el diálogo, del hombre con el cosmos. Por eso es el modernismo una exaltación de las potencias naturales, y de los sentidos. No se trata —y esto lo matiza perfectamente Octavio Paz— de un capricho estético, donde música y color sean los únicos elementos reconocibles; el modernismo no se puede considerar limitado a un intento de depuración estética, rápidamente suplantado por la tradición histórica que se ofrece como modelo, no. El modernismo es un intento de fundar una tradición literaria, un encuentro con la palabra original, con una lengua no contaminada por los sistemas que han convertido al castellano literario en una criatura vinculada estrechamente a sus modelos, y ortodoxamente, o sumisamente, dedicada a repetirlo de modo constante. Es curioso, sin embargo, que alguien tan preocupado por el lenguaje, tan obsesionado por la renovación expresiva como es Unamuno no comprendiese qué era lo que el modernismo traía al ruedo de la literatura española. No lo comprendió, pero sintió la desazón de que algo había cambiado de forma concluyente; y aunque lo rechaza, lo confirma, y de forma inconsciente lo incorpora a su trabajo. José Luis L. Aranguren escribe que «el casticismo es la negativa al desarrollo civilizatorio, es quietismo y conformismo: el problema de la expresión no es sino reflejo del problema de la acción. La lengua es la forma dinámica que expresa, que tiene que expresar el cambio social. El academicismo comete el mayor crimen contra la lengua, el querer *fijarla*» (49).

Con el modernismo, el español de América recobró su dinamismo, se sintió capaz de decir sus propias cosas, dejó de ser paciente de su historia, y trata de protagonizarla con el vehículo propio de una lengua propia (50). Además del descubrimiento de otras literaturas, y de una recuperación del pasado indígena, el modernismo, que se debatía entre la negación de la tradición y la presencia cercana del imperialismo norteamericano, quiso rescatar la verdadera tradición literaria española, no la que imponía una determinada fórmula casticista, sino la que latía en el origen de la escritura colectiva inicial. Y algo parecido sucederá con la vanguardia. El mundo americano ve nacer en él a los escritores que sin estar contaminados de casticismo pueden ejercer sobre el lenguaje esa influencia verdaderamente universal, libre de compromisos con los sistemas, que la vanguardia requiere. Para Octavio Paz el que escritores como Huidobro o Vallejo, Neruda o Borges, se encuentren

ante un vacío, ante una orfandad histórica, ante un
mundo no bautizado, ante el interminable juego de los
espejos repetidores de la imagen del presente, les da
la oportunidad de ejercer ese trabajo fundacional, esa
recuperación del origen anterior a la historia misma:
imaginar una lengua e imaginar un mundo.

*Las ideas de Huidobro tienen una indudable se-
mejanza con las que exponía entonces Reverdy: el
poeta no copia realidades, las produce. Huidobro
afirma que el poeta no imita a la naturaleza, sino
que imita su modo de operación: hace la poesía
como la lluvia y la tierra hacen árboles* (51).

A esta fundación, a este origen de la creación, nos
hemos venido refiriendo. Este puede ser el camino
para retomar la pureza de la palabra, y su verdadera
libertad. El paso siguiente es la comunión en la culpa,
el mundo *religioso* de Vallejo donde junto a lo familiar y lo histórico notamos que la lengua empieza a ser
un poder de convocatoria, pero no en su momento,
sino en ese momento originario en el que el hombre
se encuentra con el caos original. Es la fuerza incon-
tenible del verso de Neruda, que se amplía y amplía
hasta cubrir un cosmos específico, y cuya desmesura
desborda cualquier referencia geográfica o histórica, y
hasta personal.
El análisis que hace Octavio Paz de la literatura
hispanoamericana, a pesar de centrarse, en la mayor
parte de las ocasiones, en la literatura de México (e
incluso en la expresión, no específicamente literaria,
de algunos creadores mexicanos) deja la puerta abierta
para que accedamos a una comprensión más exacta
del fenómeno; y sobre todo para entender qué rasgos
permiten a la literatura en castellano escrita en América servir de valioso instrumento para acometer una
renovación absoluta de nuestra escritura. No se trata
de una sustitución, de una eliminación de la una en
favor de la otra, sino de un mantener despierta la

conciencia de los recursos que aquella plantea, y de las posibilidades que ofrece.

Y en el centro de toda esta disgresión, la idea que me parece más certera de todas, la que no podemos dejar de lado, si de verdad queremos que la literatura española deje de ser una literatura obligada a repetir, hasta el infinito, unos esquemas que han de ser enfrentados y cuestionados; o si no queremos —y esto sería lo peor— que la literatura que hacemos avance por los caminos del mimetismo, de la forzada utilización de recursos que no nos pertenecen, que no nos reflejan, que no nos dicen, y que despersonalizan día a día la expresión literaria en nuestra lengua, y en nuestro país. La idea matriz es la de considerar el lenguaje como una incertidumbre. Todavía, entre nosotros, seguimos pensando que las palabras dicen lo que dicen, que la comunicación es inequívoca, y seguimos afirmándonos en nuestra literatura, pero no nos atrevemos a criticarnos desde ella y por ella, no nos atrevemos (¿o no lo entendemos así?) a desconfiar de la palabra literaria. Que son muchos siglos de acatamiento a un lenguaje tomado, de acuerdo. Pero hora es ya de que empecemos a plantearnos seriamente la cuestión.

Entre los españoles y su idioma no hay distancia; ninguno de sus escritores modernos ha puesto en tela de juicio el lenguaje y un Wittgenstein o un Joyce españoles están todavía por nacer. Nosotros, desde la época de la independencia, denunciamos el pasado español —en español (...) el idioma es una de nuestras incertidumbres (52).

III

LA EXPERIENCIA PERSONAL Y LA EXPERIENCIA POETICA

En cuanto nos acercamos a la obra específicamente poética de Octavio Paz observamos que la coherencia entre las actitudes críticas que adopta y la expresión de las mismas se afirma todavía más si cabe. Su poesía —ya lo advertíamos— no se encuentra al margen de la actividad crítica; es ella misma crítica. Y no se encuentra al margen porque no es un trabajo circunstancial y extemporáneo, sino que supone siempre la materialización literaria de esa fusión de experiencias intelectuales que lo nutren. Podríamos decir que, al igual que sucede con su concepción del mundo y la cultura, donde a la especulación teórica se une la síntesis de dos ámbitos culturales tradicionalmente divorciados, la obra poética de Paz aúna la experiencia personal y la experiencia literaria, conformando con ellas un todo, una totalidad, en la que también esos dos elementos constitutivos, esos dos aportes fundamentales, aparecen como complementarios, se influyen recíprocamente hasta conformar ese peculiarísimo universo poético (1).

Si observamos cómo discurre la trayectoria cultural y literaria (e incluso el pensamiento histórico) de Octavio Paz, notaremos, inmediatamente, cómo él mismo se desplaza de unas posiciones radicales adoptadas en su juventud (Octavio Paz, militante entonces en la oposición gubernamental se separa del servilismo partidista para mantener la integridad, la marginalidad, la disidencia que siempre ha reclamado para el artista como conciencia crítica, a pesar de las dificultades que tal decisión le acarrea) porque comprende, precisamente, que se impone la necesidad de superar una serie de problemas estéticos fundamentales, limitados por las directrices formularias y sistemáticas del marxismo, y —como consecuencia— descubre la fácil absorción de la conciencia de los intelectuales por parte de cualquier clase de poder establecido; de poder o de estatus social o cultural. Esta crisis (y crítica) del materialismo inicial desemboca en el reconocimiento del surrealismo como verdadero gérmen revolucionario de la cultura occidental. Su integración en el movimiento, que nunca ha tenido un carácter directo, siempre ha sido con plena convicción, y convencido de que permite abrir las puertas de una investigación por los caminos de la irracionalidad, de la inspiración, que permite la liberación volitiva del artista y, sobre todo, de los recursos expresivos que maneja. Lo irracional, entonces, no es lo opuesto a lo racional, sino que es una capacidad de liberación de la conciencia intelectual, y sobre todo de la facultad creadora del lenguaje poético. Y este mismo descubrimiento hará que la síntesis entre la cultura oriental y occidental, que ya para él es un hecho irreversible de cara a la exploración de nuevas posibilidades en la historia de Occidente, se instale también en su poética. Lo que implica la crítica de los conceptos de espacio y tiempo, de historia y creencia, de hombre y civilización.

En los últimos años, el trabajo de Octavio Paz se ha centrado en la búsqueda del lenguaje verdaderamente puro, *original,* lo que no ha sido obstáculo, en ningún momento, para situarse frente a los acontecimientos que han determinado su historia y precisar su situación en cada momento; para radicalizar, incluso, sus posiciones, como sucedió a raíz de los dramáticos acontecimientos de 1968, en México. Pero este proceso, que marca, como se ve, una constante interrogación, que desarrolla una insistente búsqueda, un ir de espejo en espejo para encontrar la imagen que pueda haber más allá de él, en el origen, antes del tiempo. Este proceso, digo, tiene siempre su constatación práctica en la experiencia poética: del testimonio personal, e interiorizado, del comienzo, desde una investigación existencial que podríamos considerar metafísica, pero en la que priva un orden discursivo, y hasta narrativo, del poema, se pasa a la especulación libre sobre la inspiración, a hacer de esa inspiración (una inspiración que —como veremos— no se puede identificar en modo alguno con la inspiración espiritualista tradicional) el eje motor del poema, e incluso a la erotización de la poesía —no ya a niveles circunstanciales o anecdóticos, sino a niveles de concepción integral de la misma actividad poética—, para desembocar en una valoración de los elementos gráficos, sensoriales, al tiempo que se pondera con exactitud la relación existente entre ellos en el ámbito físico de la escritura. Esta última etapa, en la que el poema se convierte en lugar de convocatoria, conduce, a través de un trabajo que podríamos llamar erudito, incluso elitista, a la reinstauración de la colectividad como base de la creación poética, y no sólo una colectividad personal, sino también una colectividad de lenguajes, que se han fundido en un solo lenguaje:

> ...en cada época, todos los poetas escriben, en distintas lenguas, el mismo poema. No hay un texto original, todos los textos son traducciones de ese poema que es, a su vez, una traducción. Y todos los lenguajes son traducciones de otro lenguaje que es también una traducción. Y cada frase traduce a otra frase (2).

Y que la última consecuencia de su poesía sea la realización de un *renga* occidental, en íntima colaboración con otros tres poetas de lenguas diferentes, y hasta de tradiciones literarias distintas, no viene sino a confirmar esta coherente evolución. Octavio Paz no es un poeta que llegue a su labor de una forma caprichosa, o por mor de una satisfacción de tipo espiritualista o psicológica, sino, precisamente, como consecuencia de esa búsqueda constante de razones en las cuales sustentar su expresión. En los últimos poemas publicados, y aún no recogidos en volumen, por ejemplo, podemos descubrir un retorno a la experiencia personal, una especie de recuperación del tiempo perdido, pero nunca veremos allí una crónica de ese tiempo, sino la convocatoria en el poema, de forma simultánea con la sintaxis del mismo, como uno más de los elementos de esa sintaxis, de la experiencia, confundida totalmente con la rotación constante de los signos en el espacio sagrado de la página. Quizá por la misma razón, por esa especie de prieto sincretismo entre su pensamiento y su obra, esta última se observa, en algunas ocasiones, estrechamente vinculada a aquella; se observa como ejemplificación práctica de lo que se quiere decir, como demostración de que es posible trabajar a estos niveles, siempre y cuando se asimilen conscientemente los conceptos dispares de dos tradiciones constantemente divorciadas, a pesar de la recuperación (tal vez meramente formal) que en los siglos XVIII y XIX se hace de los mundos colonizados, de eso que se ha venido a llamar Tercer Mundo.

Se han podido delimitar en su obra una serie de etapas que se corresponden a otras tantas de su vida. Y se ha podido observar cómo la poesía de Octavio Paz se desarraiga progresivamente de lo discursivo e histórico para integrarse en la problemática específica del lenguaje poético; para integrarse —como señala Saúl Yurkievich— en la indagación de la palabra. Esto nos llevaría a pensar que una vida como la de Octavio Paz, signada por las más señaladas conmociones de su siglo (dos guerras mundiales, revolución mexicana, guerra civil española, surrealismo, aparición de los movimientos juveniles...), viajero incansable y conocedor de diferentes culturas, supondría un inestimable testimonio histórico y humano que trasmitir a través de una poesía plena de sentidos. Pero lo que ha hecho Paz (solitario, disidente, luchador) ha sido trabajar la obra con criterio personalísimo, y dar forma, materializar dinámicamente, como si se tratase de una nueva escritura, todas y cada una de estas experiencias, sin desdeñar toda una continuidad literaria en la que se sabe inscrito: barroco español, romanticismo y surrealismo, existencialismo, renovación formal de T.S. Eliot y Ezra Pound, perfiles característicos del mundo hispanoamericano: una suerte de primitivismo espontáneo en el se han unido las oscuras galerías del mito y la magia orientales.

Pere Gimferrer dice, y con acierto, que Octavio Paz «es consciente, como pocos, de que el problema central —del que lo histórico es sólo un aspecto— para el poeta contemporáneo reside en *la forma en que es capaz de asumir* la continuidad del itinerario emprendido por románticos y simbolistas» (3). Es, pues, importante tener en cuenta desde el comienzo que la poesía de Octavio Paz se nutre precisamente de la historia, y que lo que sucede es que esta historia no es la aceptación sin más de una herencia cultural, social o política anterior, sino una forma de cuestionarlas, de hacer del poema un vehículo para que el diálogo entre el hombre y su historia sea eficaz, creador y vivo. Que el poema (y el poeta) no sea un servidor más de los dictados de la tradición lingüística occidental. Y como quiera que la poesía de Paz es una poesía que tiende a la eliminación de contrarios, que lo que intenta es conciliarlos, la tarea máxima del escritor —él lo ha confesado más de una vez— es la de resolver la desmesura, la pesadilla disforme que es la historia; resolverla, pero transformándola en visión, en visión liberadora. Y esta transformación de la historia en visión es también una constatación de cuál debe ser la cohesión efectiva entre los elementos de ese diálogo. La poesía occidental, tradicionalmente, había sido monólogo, confesión; las voces que entraban a formar parte del poema se soslayaban y se consideraban unidas a una misma conciencia, lo que hace Octavio Paz es rescatar la individualidad de cada una de ellas y denunciar la falacia de esa unidad imprescindible de las conciencias en la conciencia, de los hombres en el hombre, que la gramática y la retórica habían tratado de congelar.

¿En que apoyos se sustenta la experiencia poética de Octavio Paz; cómo se llega a ella? Pues tratando de conseguir siempre una síntesis, al igual que ha sucedido con su obra cítica. Si la experiencia inicial, el encuentro con una existencia desbordada, lo lleva a identificar el decir poético con la morada del ser, a tratar de determinar y nombrar las cosas, la realidad, un segundo estadio de esta evolución le hará descubrir que la realidad es como un texto, que se trata de una estructura textual en la que el hombre es una sílaba de ese texto, una sílaba irrepetible. Esta reflexión, finalmente, permite concebir una síntesis original de la existencia y de la confluencia de los hombres, de las sílabas de ese texto irrepetible, en un origen, al que se ha de volver, al que es imprescindible recuperar. Lo único que es irrepetible —dice Paz— es la historia. Los hombres mueren, y lo saben; pero sus experiencias básicas (amor, deseo, trabajo), si por un lado son también irrepetibles, no lo son por otro, porque se repiten constantemente de forma igual y circular. Si el poema se vincula a la recreación de estas experiencias, lo que el poema creará será un tiempo que siempre regresa; las experiencias amor, deseo, trabajo, son experiencias poetizables, pero ni las ideas ni las opiniones pueden serlo; serán siempre pasto de la historia y, por lo mismo, irrepetibles. El poema —y para Paz esto es fundamental— nace de la contradicción entre el carácter no histórico de estas experiencias básicas y el carácter marcadamente histórico del hombre. Surge de esa contradicción y se hace a partir de ella. No se trata, pues, de desechar la historia, ni de negar la inclusión del hombre en la misma, sino que se trata de concebir esa historia como una totalidad y al hombre —por lo tanto— no como un ser único, sino como una entidad totalizadora también. Se trata, en suma, de la lúcida capacidad sincretizadora de unos aparentes contrarios. Oigamos al propio Paz:

> ...no se pueden hacer poemas sobre las ideas, las opiniones y otras experiencias puramente históricas de los hombres. Ese fue el error de la literatura engagée de hace unos años en sus dos vertientes: existencialista y comunista. Esa es la paradoja de nuestra condición: nuestras experiencias fundamentales son casi siempre instantáneas, pero no son históricas. Nuestras experiencias no son históricas, pero nosotros lo somos. Cada uno de nosotros es irrepetible, pero la experiencia de la muerte o la del amor son universales y se repiten. La poesía nace de esa contradicción. Y más: está hecha de esa contradicción (4).

Poesía contradictoria. Poesía contradictoria y polémica. Poesía difícil, y no por lo que habitualmente se considera como tal (oscuridad, hermetismo, culturalismo), sino porque parte y se sustenta de unos presupuestos que no son los habituales; es más: violenta los conceptos habituales de sintaxis y desarrollo poéticos, y exigen por tanto una nueva forma de enfrentarla por parte del lector. La verdadera dificultad reside en esa condición común de nosotros como lectores: nos acercamos al poema —de manera inconsciente— esperando que aquél se nos dé de forma lineal, discursiva, histórica... Y el poema de Octavio Paz desarrolla otro ritmo radicalmente distinto. Los elementos confluyen en él, y están, se entrecruzan, se conectan o dispersan de forma simultánea, destacando siempre su carácter de complementarios, el equilibrio bipolar entre el ímpetu, la inquietud, el vértigo y la fijeza, el límite, la inmovilidad. La poesía de Octavio Paz, y enseguida trataremos de verlo, es un problema de tiempos y espacios, de relación entre la escritura (los signos) y esos tiempos y esos espacios en que los signos se producen.

Si hacemos un breve paréntesis para recordar las influencias que habitan la poesía de nuestro escritor, que él —por otra parte— no oculta nunca, se pueden facilitar las cosas. Octavio Paz llega a la poesía a través de los escritores españoles de la generación del 27, a los que, casi al mismo tiempo, conoce personalmente. Pero con muy poca diferencia de tiempo se entusiasma con la lectura de la poesía tradicional española y con el barroco. De la primera le interesan los ritmos, la versificación irregular, que le descubren las condiciones del verso libre y del ritmo poético. Del barroco recibe, entusiasmado, el mundo metafísico-existencial de Quevedo, que le revela la forma de incluir lo conceptual en el tiempo, la asimilación personal de una aniquilación histórica; aunque, siempre consecuente con su evolución en busca de la palabra pura, se tropieza con el mundo de Góngora y su específico tratamiento de la palabra y el poema: la formulación de un mundo verbal que niega y se opone al mundo real, y desde entonces el entusiasmo metafísico disminuye, sustituido por el fervor y la riqueza verbales del cordobés. Pero también confiesa como el verdadero descubrimiento «que cambió mi poesía», es el de la tradición inglesa y francesa: el descubrimiento de Eliot desde época muy temprana (*Taller* publicó algunas traducciones en 1939, pero ya en México se conocía a los poetas norteamericanos desde la década anterior) y la decisiva y nunca acabada influencia del surrealismo, el simbolismo y la postura de los poetas malditos. Estos últimos le descubrieron la coherencia existente en la evolución que desde los románticos alemanes llega hasta el surrealismo, a través de las diferentes etapas que señalan los orígenes de la poesía contemporánea europea (Baudelaire-Nerval; Rimbaud-Lautréamont-Mallarmé; Apollinaire).

Es en la década del cuarenta, en su viaje a París, cuando toma contacto personal e intelectual con el surrealismo (5). Esta línea poética, de la que Octavio Paz se considera heredero directo, es la línea de los poetas que no sólo fueron disidentes en cuanto a su postura frente al mundo y a la historia, sino también en su actitud frente al lenguaje, que no consideraron heredado y como una entidad inamovible, sino como una capacidad para transformar la comunicación, como una necesidad para ejercer la crítica del mundo. Octavio Paz, dentro del contexto de la poesía en castellano es, hoy por hoy, el más personal, y el más arriesgado, de todos. Participa del objetivo común que mueve a todos los poetas más significados de su ámbito (visión de la realidad a través de una poética que usa de un lenguaje multivalente, crítico, abundante, histórico y erótico a la vez), pero Octavio Paz avanza un poco más, de ahí que su poesía sea tan difícil, tan desusada, tan personal, tan compleja y distinta, y no se limite a expresar el mundo, a reflejar una realidad, sino que aborda, al mismo tiempo que la creación, el análisis y el estudio de lo que el poema es como una entidad formal en el tiempo, y sobre todo, en el espacio:

Palabras, frases, sílabas, astros que giran alrededor de un centro fijo. Dos cuerpos, muchos seres que se encuentran en una palabra. El papel se cubre de letras indelebles, que nadie dijo, que nadie dictó, que han caído allí y arden y queman y se apagan. Así pues, existe la poesía, el amor existe. Y si yo no existo, existes tú (6).

Octavio Paz. durante una excursión a Chilapa (1932)

En Nueva York (1945)

Con el poeta-pintor hindú Swaminathan (1968)

Con John Cage (1966)

En Ceylan (1967)

En Estambul (1962)

Con Jorge Guillén y Stephen Gilman (Cape Cod, 1969)

Con Leonora Carrington y Marie José (México, 1967)

Con Charles Thomlinson (Cambridge, Inglaterra, 1970)

Con Carlos Fuentes (Texas. 1969)

Con Ives Bonnefoy, en el Taj Mahal (Agra, India, 1968)

Con Marie José y el poeta ruso Joseph Brodsky (1974)

Con Elisabeth Bishop (Cambridge, Mass., 1972)

En California (1973)

Con Rufino Tamayo (Delhi. 1964)

Con Marie José (México. 1971)

Con Roland Barthes y Jean Whal (París, 1969)

En la India (1966)

Con Marie José (Cambridge, Inglaterra, 1971)

EL DIALOGO IMPOSIBLE

La primera etapa de la poesía de Octavio Paz se extiende aproximadamente entre los años 1935 y 1957. *Libertad bajo palabra* y *¿Aguila o sol?* señalan sus límites. Se trata de una etapa de aportes temáticos, de confluencia de los diversos materiales y recursos, y caracterizada por el progresivo desplazamiento de la estética romántica en favor del existencialismo, bajo la conmoción dramática (trágica) que supuso para Occidente el final de la segunda guerra mundial. Una etapa de formación, a pesar de que durante esos veinte años vean la luz libros tan importantes como el citado *¿Aguila o sol?*, y se cuente con poemas de indiscutible trascendencia como *Piedra de sol*. No podemos decir, sin embargo, que sea una etapa menor, puesto que Octavio Paz ya está utilizando todos los elementos que serán característicos en su obra; lo que sucede es que aún no han fijado éstos las condiciones de subsistencia dentro de su obra; aún no han conseguido su plena personalidad.

La poesía de esta etapa va determinando las relaciones entre el hombre y el mundo; señalando todavía esos dos compartimentos estancos que se interrelacionan, pero sin llegar a producirse la confluencia analógica total, que será su culminación. Y este acercamiento al diálogo entre el hombre y la historia se hace a partir de la experiencia personal, a través de un análisis introspectivo del yo, y de una consecuente utilización discursiva, histórica o testimonial de la poesía. Ya desde los primeros poemas Paz identifica el ejercicio de la poesía con la acción de regresar al origen: poesía será un camino que se desanda hacia ese lugar original «donde comienza el alba». Ya la poesía tiene para nuestro escritor un sentido religioso. Esta búsqueda será esencial en toda la poesía de Paz, se puede identificar, sin mucho esfuerzo, con el anhelo cernudiano de encontrar ese lugar («donde habite el olvido») hacia el que el poeta se vuelve con una desesperación y una desazón sin límites. Los versos de Cernuda son elocuentes:

donde yo sólo sea
memoria de una piedra sepultada entre ortigas
sobre la cual el viento escapa a sus insomnios.

Lo mismo que Cernuda (y porque se confiesa de su propia casta), Octavio Paz, como dice Carlos Fuentes, hace de la poesía una «lectura de un mundo verdadero y humano», lo cual le lleva a encontrarse con el origen, con la pureza unitaria. Es de notar como este camino, que se fija un objetivo muy claro es, sin embargo, un andar hacia el misterio, hacia lo desconocido, hacia lo que nunca se sabe con certeza. Octavio Paz se ha arriesgado a hacer de la poesía una aventura, una búsqueda inacabable, porque no se conoce su fin. Pues bien, en este camino constante y circular que es la poesía de Paz, *Libertad bajo palabra* inaugura la jornada. Es una primera etapa de preparación y encuentro con el mundo interior, con la existencia personal. Se trata de una poesía confesional, en la que se determina la relación hombre-mundo, pero considerando al yo como una unidad referencial. El poema, entonces, aparece como un poema narrativo, aunque la madurez lírica que trasmite es evidente. Importa destacar que la poesía de Paz, incluso esta primera, no tiene zonas balbucientes sino que aparece ya como consecuencia de una experiencia madura. «La nota más característica de su poesía —advirtió ya Cuesta— es una desesperación que no tardará en precisarse en una metafísica, esto es, en una propiedad, en una necesidad del objeto de la poesía y no en un puro ocio psicológico del artista (7).

La vinculación con la historia puede parecer más directa en este primer estadio de la evolución, pero me apresuro a advertir que, vinculada la experiencia a una historia interior, a una asunción de la culpa de la existencia por parte del yo, la historicidad del poema se convierte inmediatamente en una preocupación metafísica, pero no idealista, sino reducida al sentimiento del tiempo, a la vivencia precisa de una relación que conlleva un diálogo dramático:

> *Rostros perdidos en mi frente, rostros*
> *sin ojos, ojos fijos, vaciados,*
> *¿busco en ellos acaso mi secreto,*
> *el dios de sangre que mi sangre mueve,*
> *el dios de yelo, el dios que me devora?*
> *Su silencio es espejo de mi vida,*
> *en mi vida su muerte se prolonga:*
> *soy el error final de sus errores.*

Así deriva esta primera etapa en la confirmación de que ese camino que es la poesía se ve cortado constantemente por la historia, por la pesadilla desmesurada de la historia. Y esta síncopa constante denuncia, como consecuencia, la inutilidad del lenguaje. El tema de la noche, o la simbología de la puerta como límite que superar, serán constantes apariciones y vislumbres en estos poemas. Tras la oscuridad y el límite, la luz. El poeta tiene como oficio fundamental la iluminación de la oscuridad con la palabra («Avanzo lentamente y pueblo la noche de estrellas, de palabras, de la respiración de un agua remota que me espera donde comienza el alba»); el poeta ha de encontrar la posibilidad de vulnerar la puerta, el límite, también fiando su fuerza a la palabra. Porque

> *Contra el silencio y el bullicio invento la Palabra,*
> *libertad que se inventa y me inventa cada día.*

Se precisa entonces un trabajo de composición estrechamente vinculado a la inspiración, a la fuerza pasional del escritor. Es indispensable esta capacidad de invención, y de invención renovada a cada instante, para sortear las dificultades que, una vez tras otra, impiden la orientación exacta por el «desierto circular» que es el mundo; para conseguir traspasar el límite, la oscuridad, y alcanzar la trasparencia. No es una conquista de cosas determinadas, sino una posibilidad para reconocer el otro lado de la máscara:

> *más allá de vosotros,*
> *en las fronteras del ser y el estar,*
> *una vida más vida nos reclama.*

Si Octavio Paz empieza a utilizar su experiencia, si reduce al yo histórico toda la experiencia de la que emana el poema (y el tiempo se convierte entonces en un equivalente de la fugacidad de la existencia), si lo que nos propone es un discurso para alcanzar su acorde con el tiempo («Y el hombre aprieta el paso/y al tiempo justo de llegar a tiempo/doblan la esquina, puntuales, Dios y el tranvía»), si tras la palabra de Paz notamos la presencia conceptual de Quevedo, resuelta en una metafísica de la existencia, cuando avanzamos un poco más en el conocimiento de su poesía, descubrimos cómo lo sensorial se apodera poco a poco del tema y de la escritura. La palabra empieza a ser valorada como objeto, como signo, más que como significación; y a partir del goce y la visión de esos signos, de esos objetos, entramos en un círculo temporal distinto: el del presente, el del ahora. No es el tiempo del *ahorro* o de la previsión del futuro, sino el tiempo del *gasto,* de la consumación renovada y siempre naciente de la existencia y de los hechos fundamentales de la existencia del hombre, que son eternos y siempre repetibles (amor, deseo, muerte). El poema empieza a ser ya una sensación del contorno, no una trasmisión de experiencias o ideas históricas. Se trata de una experiencia en sí mismo, una experiencia que es sensual e intelectual, y ambas fuerzas confluyen en el centro, en el puente que se tiende conciliador entre ambos: la palabra, el poema como lugar de convocatoria. Y si el tiempo era inicialmente una conquista, algo que había que asumir, ahora se hace instante en el que todo discurre y que siempre retorna al origen; nunca es un padecimiento de la fugacidad histórica de la existencia:

Infrecuentes (pero también inmerecidas
Instantáneas (pero es verdad que el tiempo no se
mide
Hay instantes que estallan y son astros
Otros son un río detenido y unos árboles fijos
Otros son ese mismo río arrasando los mismos
árboles).

Y como no sólo ha cambiado la perspectiva sino que es otra la concepción de la escritura, el ritmo va a cambiar también de forma radical: el verso se libera del recuento silábico y adquiere importancia y protagonismo la disposición gráfica del poema. El discurso, en una palabra, ha dejado paso a una sintaxis diferente: no hay linealidad, sino rotación y atracción de signos; concentración y captación en el instante.

Octavio Paz se esfuerza, sin embargo, en materializar el diálogo armónico entre el hombre y el mundo; procura por todos los medios descubrir siempre la otredad, a ese *otro* complementario y distinto que existe y que deja en el poema su voz para hacer de este último una totalidad de elementos confluyentes, pero igualmente válidos. El poema *Paisaje* (vid. Antología) puede servirnos de ejemplo. El mundo natural se opone al mundo histórico. Se plantea, pues, un diálogo entre las fuerzas que se reúnen, pero ese diálogo se siente vulnerado por la condición histórica del hombre. Sin embargo, el poema está ahí para descubrirnos las limitaciones, y tratar de, al decirla, eliminar la distancia existente entre la naturaleza positiva (viva, coloreada, cambiante, intercambiante, personificada) y la negación de la existencia por ser producto de una historia y no de una armonía (rabia, odio, amor, muerte). El poema, la palabra poética, establece un puente, una unión, un nexo, entre las dos de modo que, sin anular diferencias, las hace confluir en una totalidad armónica.

Por su parte, otro poema, *Lección de cosas,* incluido en *Piedras sueltas,* nos pone en contacto con una poesía en doble movimiento, pues si por una parte se busca y consigue la concentración, ese mismo proceso encierra el inverso, el de la dispersión total. Todo ello con la utilización de elementos bien simples: o participios (*petrificadas, tocado*) o la utilización de un presente continuo, a veces apoyado por el gerundio, o por partículas temporales reiterativas (*cada vez que*) o conclusivas (*ya*). Además, cada uno de estos poemas siempre está construido sobre dos elementos temáticos que se contraponen y complementan a un tiempo. Uno, digamos, es anecdótico, y el otro, su posible paralelo. El punto de confluencia siempre es un momento instantáneo marcado o bien por la luz, o por la exactitud, o por la aparición momentánea de lo perfecto. Este nexo es el que despierta en el lector la necesidad de multiplicar la visión, de no someterse a las limitaciones de la anécdota o de la historia del poema, sino que es éste el que queda a la disposición del lector para ser recompuesto tantas veces como lecturas se hagan; pero es que, al mismo tiempo, el poema se mantiene uno y el mismo, indefinidamente. Esta es la contradicción o la paradoja sobre la cual se acre el poema, y que da al proceso creador su carácter irreversible; pero también su facultad para rotar y repetirse constantemente.

REFLEXION SOBRE EL PASADO

Reconocido el mundo, determinados sus perfiles y sus elementos de acción; una vez encontrados los nombres, se impone una reflexión. A ella se encamina Octavio Paz en lo que podría constituir una segunda etapa de su poesía. A ella corresponderían los libros *¿Aguila o sol?* y *Salamandra,* y abarcaría prácticamente hasta el año 1962. Las preocupaciones cardinales de este período serán, de una parte, esa reflexión existencial que lo llevará al encuentro con el pasado originario, pasado histórico y ancestral, consecuencia de la crisis del diálogo entre el hombre y el mundo. Esta etapa acentuará en la poesía de Paz la presencia de la duplicidad, de la incertidumbre en la unidad. Una etapa que supone también la incorporación de elementos irracionales, de la estética surrealista, como liberación, como exaltación de la capacidad creadora, y nunca como mero capricho estético. La palabra establecida, el código convencional, no pueden superar el caos del diálogo, habrá que explotar el poder mágico de la palabra, el mundo de lo irracional, o la resurrección del pasado religioso-mitológico como elementos revulsivos de tal situación.

Hacia 1945 la poesía de nuestra lengua se repartía en dos academias: la del «realismo socialista» y la de los vanguardistas arrepentidos. Unos pocos libros de unos cuantos poetas dispersos iniciaron el

cambio. Aquí se quiebra toda pretensión de objeti-
vidad: aunque quisiera no podría disociarme de
este período. Procuraré por tanto reducirlo a unas
cuantas noticias mínimas. Todo comienza —reco-
mienza— con un libro de José de Lezama Lima: La
fijeza *(1944). Un poco después (no tengo más re-*
medio que citarme), Libertad bajo palabra *(1949) y*
¿Aguila o sol? *(1950) (...) En cierto sentido fue un*
regreso a la vanguardia. Pero una vanguardia si-
lenciosa, secreta, desengañada (...) No se trataba,
como en 1920, de inventar, sino de explorar. El
territorio que atraía a estos poetas no estaba
afuera ni tampoco adentro. Era esa zona donde
confluyen lo interior y lo exterior del lenguaje. Su
preocupación no era estética; para aquellos jóve-
nes el lenguaje era, simultánea y contradictoria-
mente, un destino, una elección. Algo dado y algo
que hacemos. Algo que nos hace (...) Estos poetas
habían aprendido a reflexionar y a burlarse de sí
mismos (8).

La importancia de la cita me eximirá del pecado de
imprudencia que supone una transcripción tan exten-
sa. La descripción, me parece, es fundamental.
¿Aguila o sol? (y la interrogación y los contrarios, la
disyuntiva, son altamente elocuentes) significa, en la
continuidad poética de Octavio Paz, un meridiano
importante. No sólo por lo que pueda representar en
su evolución personal, sino también porque es el
exponente del encuentro con una problemática básica
para el escritor, y sobre todo para el escritor en
castellano de América: la tradición, la recuperación
generacional. ¿Qué es realmente lo que nos caracteriza: el lenguaje, el pertenecer a una tradición común, o
esas otras peculiaridades que nos distinguen, que nos
definen; el águila o el sol?:

Al cabo de tanta vigilia, de tanto roer silogismos,
de habitar tantas ruinas y razones en ruinas, salgo

al aire. Busco un contacto. Y desde este trampolín me arrojo, cabeza baja, ojos abiertos, a ¿dónde? Al pozo, al espejo, la mierda (...) Ven, amor mío, (...) ven a arrancar conmigo unas cuantas horas incandescentes de este bloque de tiempo petrificado, única herencia que nos dejaron nuestros padres.

El libro, pues, nos conduce hacia la interrogación, y supone el ingreso en la segunda etapa de la obra de Paz: etapa de reflexión e interrogación sobre los extremos que confluyen en él. Es un libro aún testimonial, si se quiere, pero pasado por la dura prueba de la ironía, de la crítica, a veces descarnada y cruel, de la burla y del humor. Incluso en la utilización de términos concretos y giros peculiares. El lenguaje, quizá, se hace menos literario, se impregna de lo conversacional, y la aparición de la prosa, no sólo poética sino narrativa, acentúa más ese carácter de reflexión y burla que el propio escritor ha confesado. Pero, en el fondo, la preocupación máxima reside en la determinación de ese nexo, de ese eslabón perdido; la búsqueda de una entidad definitoria como escritor y como poeta, lo que supone la confirmación de su carácter de desclasado, de disidente. Y como hispanoamericano que ha de enfrentarse a su limitación más acuciante, el lenguaje, y transformarlo en incertidumbre, en desconfianza, se le revela su posición aventurada, desazonada:

Hoy lucho a solas con una palabra. La que me pertenece, a la que pertenezco: ¿cara o cruz, águila o sol?

Si en el primer caso, comparando esta frase con la inicial de *Libertad bajo palabra*, se expresaba la necesidad imperiosa de inventar la Palabra, ahora resulta que se impone una lucha contra ella, una especie de interrogación constante para que no se diluya en la nada, para que siga viva, precisamente a través de esa contradicción, de esa paradoja, de la duda y del humor (que eso es el humor: simultanear situaciones contradictorias y mostrarlas como habituales).

¿Aguila o sol?, por otra parte, ofrece dos novedades: esa aparición de la prosa, incluso narrativa, que ya hemos advertido, y que se convierte en fábula o parábola para descubrir con exactitud cuál es la posición del hombre en el mundo y hasta qué punto es posible un diálogo entre ambos. El hombre se convierte así en sílaba del universo, en busca de la unidad cósmica original. El hombre no es la unidad de todas las cosas, sino una pieza del orden general del mundo, un fragmento del texto, que dice un texto que, a su vez, otra voz le dice:

> *Mis actos, el serrucho del grillo, el parpadeo de la estrella, no eran sino pausas y sílabas, frases dispersas de aquel diálogo. ¿Cuál sería esa palabra de la cuál yo era una sílaba? ¿Quién dice esa palabra y a quién se la dice? Tiré el cigarrillo sobre la banqueta. Al caer describió una curva luminosa, arrojando breves chispas, como un cometa minúsculo. Caminé largo rato, despacio. Me sentía libre, seguro entre los labios que en ese momento me pronunciaban con tanta felicidad.*

Y junto a la prosa, la utilización del lenguaje coloquial, que supone una radicalización de la crítica, y una destrucción complacida de la amenaza de los sistemas y de las jerarquías, de la estructura piramidal del mundo, y la aparición de la simultaneidad y la armonía de contrarios como base del orden nuevo. No es extraño, pues, que el libro incluya esos *Trabajos del poeta* como certificación de la lucha, del combate «a brazo partido» durante «largas horas de silencio al raso»; como la certificación o la confesión de la posición disidente del escritor, frente a los sistemas y frente a la tradición adquirida. Es una especie de toma de postura radical, en un momento también crucial de la historia:

> *Te atreves a decir No, para un día poder decir mejor Sí. Vacías tu ser de todo lo que los Otros lo rellenaron: grandes y pequeñas naderías de que está hecho el mundo de los Otros. Y luego te vacías a ti mismo, porque tú —lo que llamamos yo o persona— también es imagen, también es Otro. También es nadería.*

Nótese que, de forma semejante a lo sucedido en la primera etapa, la asunción de la culpa no se hace exclusiva del yo, como representante de la unidad total, sino que se ve al hombre incluido en el conjunto de los hombres, y participando también de sus culpas colectivas, de las naderías que los caracterizan. Estamos llegando a la determinación de las fuerzas que actúan en el concierto analógico, a la caracterización de las posiciones y a precisar sus acciones. En el caso concreto de nuestro escritor, el lenguaje habitual es un lenguaje confundidor, y eso produce en él una insatisfacción, porque nunca el lenguaje está visto como un medio, sino como algo de lo que el propio escritor forma parte, y que se materializa a través suyo. Así el lenguaje no será una fórmula de comunicación, tampoco un vehículo para comunicar, sino que es una necesidad de nacimiento constante cada vez que se pronuncia; que a pesar de ser una metáfora del lenguaje, sea siempre nuevo y válido por sí mismo.

La insistencia en la utilización del presente, en el que se apoya la seguridad del tiempo instantáneo, y además la presencia del verbo de estado, y de estado que siempre es una transmutación, una transformación sucesiva y constante; la utilización del participio como consumación, o la del gerundio como tiempo de la continuidad simultánea, de la acción repetida

indefinidamente y nunca concluida ni encerrada en los
límites temporales, se equipara con la presencia de
los verbos de acción, siempre, referidos a la búsqueda
e interrogación del escritor, y siempre abundando en
el infinitivo, el modo que no está condicionado a
ningún matiz temporal, sino que es tiempo puro:

> *Un lenguaje de látigos. Para execrar, exasperar,
> excomulgar, expulsar, exheredar, expeler, extur-
> bar, excorpiar, expurgar, excoriar, expilar, expri-
> mir, expectorar, exulcerar, excrementar ( ), ex-
> torsionar, extenuar (el silencio), expiar. Un len-
> guaje que corte el resuello. Rasante, tajante, cor-
> tante.*

La experiencia ha dejado de ser personal, a nivel de
análisis del sujeto, análisis metafísico de una historia
interior; ya encontramos esta experiencia diluida en
una contemplación espejeante, y hecha signo ella
misma. Por eso, vida y muerte ya no aparecen como
contrarios irreconciliables, forman una totalidad que
se recupera en el momento en que se pueda traspasar
el límite, pasar al tiempo antes del tiempo, a ese
inconcreto y misterioso lugar que sólo se vislumbra a
través de la palabra poética, «allá, del otro lado del
caer». *¿Aguila o sol?* es también la prueba de fuego
del escritor en su búsqueda del otro, en su necesidad
de configurar el diálogo con lo otro. Visto el universo
como una multiplicidad, como una totalidad y no
como una unidad referencial; visto el mundo y la
historia como un constante monólogo, como el habi-
táculo del lenguaje tomado, poseído, se reconocen las
fronteras, las dificultades, los límites y los obstáculos
que se oponen a ese diálogo; se reflexiona sobre ellas,
pero también es la razón por la cual se puede ir
desarrollando ese otro lenguaje, esa otra creación
pura que recoja a los elementos dialogantes en armonía. El lenguaje se ha convertido en el eco burdo de
un mundo y de unos ambientes en lenta y progresiva

descomposición, y no queda de aquél sino una insistente e inútil repetición. Precisamente en este punto es donde Octavio Paz somete a la poesía a la más interesante experiencia. Conocedor e investigador de la crítica y el análisis estructural, comprende cómo el lenguaje, además de ser una estructura perfectamente racional, mantiene una carga de inconsciente, de inmotivación, en su nivel fonológico, y por el camino de esta ambivalencia del lenguaje (inconsciente-racional) se aventura en la experiencia del desarrollo espacial del conjunto del poema. Si las estructuras son matemáticamente comprobables y mantienen un ritmo exacto, también responden a una *atracción apasionada* que las rige y controla, que las hace vivir (9). Es decir, que si el lenguaje responde a leyes de perfección y exactitud matemáticas, también se sostiene por una estructura de analogía rítmica, y esta analogía es al tiempo matemática y poética. Y de metáfora en metáfora, la palabra consigue fundar la existencia más allá del tiempo, o más allá de los símbolos (noche, puerta) de la oscuridad y el límite:

Hay que soñar hacia atrás, hacia la fuente.
Hay que remar siglos arriba, más allá de la infancia, más allá del comienzo, más allá de las aguas del bautismo.
Echar abajo las paredes entre el hombre y el hombre, juntar de nuevo lo que fue separado.
Vida y muerte no son mundos contrarios, son un solo tallo con dos flores gemelas.

Se impone un caminar hacia atrás, hacia el «otro lado» de la realidad, encontrar la trasparencia del mundo a través de un diálogo con el mundo mismo, pero ese «otro lado» —dice Paz— «es una realidad que sólo puede ser aludida (tangencialmente) por las palabras de cada poeta. Sólo diré que se trata de una realidad que apenas comenzamos a explorar» (10). Búsqueda del comienzo, pues, búsqueda de una posibilidad de seguir, y de no tener nunca la certeza de haber llegado, o alcanzar la triste conclusión de que nos hallamos repitiendo siempre la misma canción. Se trata de crear constantemente, de hacer y hacernos a cada instante.

¿Qué ha sucedido? Pues que la escritura que empezó siendo producto de una experiencia existencial va ingresando, poco a poco, en el mundo del mito, de la creencia oculta, del reencuentro con el origen; que el poema se va convirtiendo en un oráculo y que la voz colectiva del poema se identifica con la oración:

> *Te espero en ese lado del tiempo en donde la luz inaugura un reinado dichoso (...) Allí abrirás mi cuerpo en dos, para leer las letras de tu destino.*

Sacrificios y lecturas de las entrañas, el oráculo es bastante claro en esto, pero hay que acceder a ese otro mundo, al de la purificación original, para que la verdad sea revelada. Y esta reunión original sólo se producirá al margen de las ideas, cuando las teorías y los puntos de unión con la historia queden disueltos, cuando la palabra pueda ser exaltación sensorial, signo puro, descubrimiento a través de la vista y el tacto (canales de constatación de la realidad) de esos elementos que se reúnen en la totalidad. El conocimiento, por tanto, nos lleva no a una comunicación, sino a un intento de fijación, de reducción al instante. El poeta opera desde la dispersión, desde la rotación de los signos a la fijación de los mismos en el espacio del poema. Analizadas las apariencias, hecha la prueba de la rotura del espejo frente a ellas, se empieza a hacer visible la pureza de la palabra:

> *¡Palabras para sellar el mundo con un sello indeleble o para abrirlo de par en par, sílabas arrancadas al árbol del idioma, hachas contra la muerte, proas donde se rompe la gran ola del vacío,*

heridas, surtidores, conos esbeltos que levanta el insomnio!

Y así, una vez fijado ese mundo, se puede fundar, crear la realidad como una forma pura y siempre nueva. Este tema de la poesía como creación pura, como palabra original, es uno de los problemas básicos de la poesía de Octavio Paz, y desde luego, uno de los más conflictivos. Es importante notar cómo, durante años, la crítica literaria española ha ido oponiéndose tenazmente al concepto de poesía pura por considerarlo reñido con el de poesía testimonial, por considerarlo contrario y opuesto. Notemos igualmente que esta posición excluyente ha sido la causa de que la poesía escrita en España no haya conseguido los niveles de renovación que se exigían; podemos descubrir que se ha partido de conceptos erróneos, de una aceptación del lenguaje como tal, no de una crítica del mismo. Nos movíamos dentro de un mundo literario que reducía todo a la unidad de unos esquemas hechos, invulnerables a cualquier posición crítica, sin que se analizaran en profundidad los elementos que el escritor manejaba. Y cuando ha habido alumbramientos notables (Rubén Darío, Juan Ramón Jiménez, la vanguardia...) se han considerado expúreos dentro de ese sistema unitario. Se reconoce su presencia, pero se exige que sean asimilados o reducidos a las coordenadas de esa continuidad; y cuanto más pronto, mejor. El escritor era así un manipulador del lenguaje, un comunicador de ideas, a través de claves convencionalmente establecidas, pero nunca un servidor de las palabras, nunca una voz por medio de la cual hablaba el lenguaje del mundo. Huidobro definió la labor del creador literario como una actividad generadora similar a la de la naturaleza, con los mismos procedimientos que ésta. Y esta posición es la que permite llegar a la pureza verbal y poética, a la palabra como fundación.

Una vez más ha sido un escritor hispanoamericano,

un escritor que ha padecido una historia, y que ha
sentido la necesidad de fundar constantemente la
realidad, la identidad; que ha experimentado la desazón de inventarlas a cada instante, el que ha visto con
claridad el problema, y el que ha abierto, nuevamente
el resquicio para pasar al «otro lado»:

> *hay que soñar en voz alta, hay que cantar hasta*
> *que el canto eche raíces, troncos, ramas, pájaros,*
> *astros, cantar hasta que el sueño engendre y brote*
> *del costado del dormido la espiga roja de la resu-*
> *rrección.*
> *el agua de la mujer, el manantial para beber y*
> *mirarse y reconocerse y recobrarse...*

Octavio Paz ha pasado de la confirmación de la
existencia personal y colectiva interior a la investigación y el conocimiento del origen, lo cual va mati-
zando con un tono religioso y mágico a su poesía.
Angel Mª Garibay dice «refiriéndose a los cantares
que tratan de la guerra (en la poesía náhuatl), que no
se cantan victorias, sino que se celebra la tarea religiosa de contribuir a la existencia del mundo dando
sustento a los dioses» (11). La conexión de la poesía
de Paz con el mundo originario americano, y sobre
todo con el rito ancestral y con la misma poesía
prehispánica, con el mundo de los signos mágicos, es
evidente. Y no sólo porque la poesía deba rescatar
ese pasado (cosa que ya han intentado otros poetas y
artistas americanos, a veces —las más— rescatando
sólo lo exótico y lo pintoresco), sino porque trata de
integrar la actividad poética en la actividad religiosa.
El poema como lugar del rito, lugar donde el misterio
se revela, lugar de la entrega recíproca y punto de
consumación del instante.

* * *

Con *Salamandra,* la poesía de Octavio Paz se libera progresivamente de los últimos resquicios discursivos y empieza a introducir abiertamente lo misterioso y lo esotérico, y primordialmente, la imagen irracional. Al propio tiempo se opera una disolución de la historia como sustento del poema, y el lenguaje poético se erige como protagonista del hecho literario. La palabra ha ido adquiriendo cada vez más importancia en la poesía de Paz, el poeta ha ido comprendiendo que el lenguaje es fundamental, y no porque se quiera construir una poesía de retórica más o menos visible, una poesía que se haga deliberadamente hermética, sino porque el lenguaje, con sus tensiones, sus ritmos, su misma presencia en el espacio del poema, es suficiente para significar poéticamente. Por eso, los signos dejan de ser significados, dejan de ser nombres de las cosas, y se convierten en puentes que se tienden entre el hombre y las cosas, canales que posibilitan el diálogo original del universo. La voz del poeta ya no es la única identificable, y el espacio y el tiempo no se definen de modo unitario, sino que se reconvierten constantemente, se renuevan a cada instante. Cualquier cambio producido en la sintaxis del poema (si se tiene en cuenta estas consideraciones) revierte en un cambio de significado, puesto que la lectura se hace múltiple, y debe atender a todos los elementos y voces recurrentes en la poesía. El significado es ahora los significados, varios y simultáneos, que la lectura (las lecturas) permiten.

Salamandra, además, insiste en esta actuación simultánea de las voces del poema, de ahí que las técnicas del *collage* verbal o de la acumulación de imágenes irracionales se empleen constantemente. Esa acumulación sincretizadora que se acentúa progresivamente en la poesía de Paz hace del lenguaje una capacidad viva, independiente, que obliga a transformar la habitual relación lector-poema de manera radical. Tres poemas de este libro pueden ser característicos y definitorios de esta situación. Me refiero a *La palabra escrita, La palabra dicha,* y ese estupendo trabajo herético, *Homenaje y profanaciones,* que lleva la influencia de Quevedo a sus últimas consecuencias. Con estos poemas, Octavio Paz materializa poéticamente su paso desde la visión existencial metafísica a la visión lingüística, a la creación de un mundo verbal distinto, que no corrobora sino que violenta la preeminencia del discurso. Trataremos de analizar, siquiera brevemente, estos tres poemas para dejar constancia del avance que supone *Salamandra* en el contexto de la obra de nuestro escritor, la cual —como ya advertíamos— no se compone de compartimentos estancos y sucesivos, sino que constituye una fluencia capaz de eliminar sucesivamente los elementos innecesarios, y camina hacia un adensamiento y una síntesis que hemos de identificar con la pureza original, determinante de la poesía como camino de regreso al comienzo, lo que en Octavio Paz es una verdad irreversible.

En el trabajo sobre el poema de Quevedo (*Amor constante más allá de la muerte*) Octavio Paz desarrolla una serie de variaciones, y transformaciones, trata de violentar la imagen inicial disolviendo el sentido trascendente de lo eterno en la vivacidad del instante; a la visión trágica del futuro que se despliega en el poema de Quevedo, frente al avance progresivo de la existencia —tiempo histórico— que condiciona el proceso de extinción que forma la médula del extraordinario soneto, Octavio Paz opone la materialización instántanea de la reducción a una totalidad donde vida y muerte dejan de ser contrarios; a la tragedia integral del mundo quevedesco, tragedia metafísica e irreversible, Paz opone el drama de la consumación instantánea. La imagen del poema de Quevedo se rompe en *Homenaje y profanaciones* (vid. Antología), pero su rotura es como la de un espejo, que sigue reproduciendo, multiplicada, la misma imagen. La relación espejeante, que ya Luis Rosales advirtiera en la poesía de Góngora (12), su-

planta en este momento a la visión unitaria y personal. Octavio Paz penetra de forma circular en cada
una de las estrofas del soneto, y escribe, a su vez, un
tríptico *(Aspiración - Espiración - Lauda)* que permite una ampliación del soneto en una serie de espira-
les, de círculos concéntricos, en torno al presente
vivaz que lo consume. No se trata de prejuzgar la
trascendencia, sino de trascender el instante. En las
profanaciones de Paz se anula el discurso histórico, la
anécdota del yo, y se carga de sentido la contemplación del instante, una entrega sensorial a las cosas, al
pensamiento, e incluso a la palabra que nombra ese
instante, que hace del instante el centro de la convivencia, el centro de la conjunción. Paz despliega de
forma sistemática cada una de las frases del poema: la
metafísica, la sensual, la anecdótica o vivencial (existencial), y las desarrolla simultáneamente desde la
misma perspectiva del presente, y en el presente, de
forma que empiecen y terminen en él; que por él
nazcan y se consuman en él. Se vuelve hacia el
cuerpo, no como metáfora (que es la posición de
Quevedo), sino como vehículo para penetrar en la
comprensión de ese instante. Los elementos contrarios se reúnen, se convocan al unísono, no se anulan
recíprocamente, sino que mantienen su entidad plena.

El caso de los otros dos poemas es diferente, pero
no por ello dejan de ser ejemplares. Se trata de dos
poemas complementarios, que determinan también,
con claridad, esa relación espejeante de la que antes
hablábamos. En *La palabra escrita* (vid. Antología)
se establecen dos posiciones: la que podríamos llamar
real (la imagen) y el reflejo de ésta en el espejo (el
pozo). Entre las dos, un espacio, que también es
tiempo. Y entre las dos una identificación simultánea
y paralela: sol-cara /rostro-sol. El espacio que media
entre ellas es un espacio presente, material, que viene
definido, igualmente, por un tiempo: el tiempo simultáneo de la caída de la piedra-palabra (otra dualidad
que se hace protagonista).

El poema simultánea el tiempo de la vida con la definición de las imágenes. Conforme sucede una cosa (sucesión que es temporal), se produce la otra (captación espacial de igualdades complementarias). La llegada de la piedra-palabra al fondo, al espejo, rompe esa imagen, pero también la dispersa, íntegra pero multiplicada en los diferentes fragmentos, y la recompone cuando la superficie se aquieta, estableciendo el ciclo inacabable, siempre repetible, del tiempo instantáneo.

La palabra dicha (vid. Antología) establece un esquema similar, pero aquí el movimiento es horizontal. La palabra, animada, móvil, se levanta y da lugar a otra imagen: la imagen poética de la palabra congelada en la página. Para continuar luego con el movimiento hacia el receptor; un movimiento difícil, *pendiente de un hilo,* porque el oído que se apresta a recibirlo, padece la confusión, la destrucción de los valores comunicativos de esa palabra, y se impone, por tanto, en conclusión, el silencio ingenuo («Inocencia y no ciencia:/Para hablar aprende a callar»). Es de notar cómo Octavio Paz utiliza aquí recursos fonéticos que destruyen significados, o que los hacen confusos, o los cambian, y que el laberinto, o la babel (el laberinto del oído o la babel de la palabra) se ofrecen palpables por medio de la palabra dicha.

Salamandra es, tal vez, el libro de la afirmación, del convencimiento, de las definiciones más o menos precisas de los rumbos de la poesía de Octavio Paz. Que el libro inmediato, *Ladera Este* sea la consumación de este proceso de aporte de materiales y de la precisión en su manejo, nos permitirá acceder a la última etapa de esta poesía, y entenderla en su totalidad.

INTERMEDIO EROTICO

He hablado, en diversas ocasiones a lo largo de este trabajo, del erotismo como tema constante en la obra de Octavio Paz; he aludido a su condición de producto del razonamiento analógico. Pero he de advertir que el erotismo de Octavio Paz tiene rasgos peculiares: no se instala en el ámbito de la consagración exaltada de lo erótico, sino que la actividad poética toda se impregna de erotismo.

La creencia en la analogía universal le lleva a pensar en un mundo gobernado por el ritmo de las repeticiones y conjunciones. Todas las excepciones tienen su doble, su correspondencia; y así el movimiento es siempre un modo de conciliar esas diferencias y oposiciones, pero sin anularlas. Movimiento, pues, no *a través de,* sino *en el* tiempo. La distribución sucesiva del orden temporal se anula, y es la consumación, el acto puro de la entrega, el que adquiere protagonismo. Lo mismo que las cosas y las almas, los cuerpos también se unen y separan obedeciendo a leyes idénticas a las que rigen la atracción de los astros. El erotismo, entonces, no sólo es matemático, sino también subversivo, puesto que al tiempo que anula la sucesión temporal, anula igualmente las individualidades y jerarquías. Como quiera que el erotismo es una ley cósmica, un orden fundado en la armonía y en el ritmo de los encuentros y separacio-

117

nes, se opone de forma contundente e inequívoca a los privilegios, a la fuerza del poder autoritario. Este es el erotismo que desarrollaron los surrealistas: el erotismo como fuerza capaz de anular diferencias, y la única manera de reconocer la integridad del otro que se había perdido en el vacío. Entre la naturaleza (mundo animal) y la sociedad (mundo humano) se ha creado un código, un sistema erótico ligado a una red sutil de prohibiciones, reglas, estímulos. El erotismo se convierte así, también, en una señal indeleble de la modificación del concepto de historia:

> *La insurrección del cuerpo quizás es el anuncio de que el hombre recibirá alguna vez la sabiduría perdida. Porque el cuerpo no solamente niega el futuro: es un camino hacia el presente, hacia ese ahora donde vida y muerte son las dos mitades de una misma esfera* (13).

Frente al otro gran e inmenso poeta erótico de América, Pablo Neruda, la diferencia es evidente. Pablo Neruda es el poeta de la exaltación, de la sensualidad desbordada, de la consagración exteriorizada del erotismo. Para Pablo Neruda el lenguaje, la poesía es un medio para expresar esa exaltación amorosa. El poema surge como necesidad de una comunicación, lo más amplia y expansiva posible, de eso que Octavio Paz considera simultáneamente «fusión con el mundo animal y ruptura, separación de este mundo, soledad irremediable (...) el erotismo es un mundo cerrado tanto a la sociedad como a la naturaleza. El acto erótico niega al mundo: nada real nos rodea excepto nuestros fantasmas» (14). Pues bien, Neruda salta esas barreras, las desborda. Mientras que en el caso de Paz el erotismo no es consecuencia de la experiencia, sino la experiencia en sí misma. El poema, la poética, es orden regido por lo erótico, por la *atracción apasionada,* que diría Charles Fourier. Todo el mundo es un enorme sistema de signos relacionados en equilibrio armónico: las leyes de atracción de los astros. Pero esta relación es también psicológica y poética, literaria, puesto que esa lectura del mundo que es la escritura se consuma por una serie de signos que participan de la misma atracción y de las mismas leyes. De ahí le viene al hecho literario su carácter revulsivo: la tracción apasionada es el «punto en el que el pensamiento revolucionario y el pensamiento poético se cruzan». Pero hay otro aspecto, que Félix Grande señala (15), y que me parece interesante tener presente en la caracterización del complejo mundo erótico de la obra de Paz. Frente al de Neruda, un erotismo centrado exclusivamente en la mujer, el erotismo de Octavio Paz es un erotismo «móvil», «actuante», «que es misterioso, fresco, vital, sensitivo, generador». En cierta manera estamos ante un erotismo que no lo es en el sentido tradicional del término, de las relaciones carnales, sino que se trata de una reducción de todo a la relación de los cuerpos en el acto erótico, y a un análisis de la culminación de la entrega, que es la consumación del equilibrio armónico. Una reducción al cuerpo, al tiempo del cuerpo, a la perfección circular de los contrarios. Es un erotismo que se carga de una valoración esotérica, misteriosa, que se pierde en el mundo ocultista de Oriente, y que por lo mismo se muestra como una rotación constante y abarcadora: un movimiento que engendra una forma, una forma que se enlaza a otra, que a su vez engendra otra...:

Paradoja del erotismo: en el acto amoroso poseemos el cuerpo de la mujer como una totalidad que se fragmenta: simultáneamente, cada fragmento —un ojo, un pedazo de mejilla, un lóbulo, el resplandor de un muslo, la sombra del pelo sobre un hombro, los labios— alude a otros y, en cierto modo, contiene a la totalidad. Los cuerpos son el teatro donde efectivamente se representa el juego de la correspondencia universal, la relación sin

120

cesar deshecha y renaciente entre la unidad y la pluralidad (16).

Erotismo, en fin, que es intenso y extenso a la vez, que no se evidencia de forma únicamente sensual, sino que alude también a la búsqueda e interrogación de los signos, a las relaciones en el tiempo y el espacio, y que abarca igualmente el mundo de la escritura, mundo de los signos en rotación. Quizá el poema *Piedra de sol* sea fundamental para entender ese mundo impregnado de erotismo que es la poesía de Octavio Paz. No sólo porque el poema tenga alusiones explícitas al erotismo propiamente dicho, sino porque la construcción y la sintaxis del poema se acomoda perfectamente al concepto cíclico, de perfección matemática, astronómica y cabalística, y a la vez literaria (poética) que hemos apuntado. *Piedra de sol* es un poema cuyo ritmo es el de la reiteración constante, el del constante regreso, en un movimiento espiral, mejor: concéntrico. Si nos detenemos en su lectura lo veremos con claridad.

En primer lugar, hemos de advertir que el poema evoca en su construcción una distribución mágica, esotérica, astronómica. El propio escritor nos confirma que su atención se dirige «hacia el México antiguo, hacia Fourier, hacia el ninguna parte de la India»; que no busca una realidad, sino lo que está *«detrás o antes* de las religiones». El poema se compone de 584 endecasílabos, el mismo número que los días que tardan Venus y el Sol en entrar en conjunción, número que evoca igualmente la división del calendario circular de los antiguos mexicanos, del que indudablemente toma el nombre. Esta relación y este origen misteriosos, que desborda las relaciones de espacio y tiempo habituales en la civilización occidental, le sirve a Paz para desarrollar una simultaneidad más: sobre el tiempo cíclico del mito se construye la «historia irrepetible de un hombre que pertenece a una generación, a un país, a una época». Y por ser, al mismo tiempo, movimiento en constante retorno hacia el comienzo y cauce para una historia lineal concreta, el poema fluye sin cesar, constantemente.

Pero además de un poema esotérico y además de un poema histórico, *Piedra de sol* es un poema de amor (el más grande escrito en América, al decir de Julio Cortázar). Es el poema de consumación de las diferencias, del equilibrio armónico y del retorno al origen inicial. La última estrofa es, exactamente, la misma que la primera; el poema se cierra sobre sí mismo, forma una totalidad equilibrada que contiene un mundo de atracciones y repulsiones adecuadamente complementadas. Los verbos son todos verbos reiterativos, pero verbos de acciones puras, instantáneas, o verbos de estado, estado que es producto de una transformación constante: la acción de ese hombre que circula sobre ese tiempo y ese espacio. El poema es el signo del errante que busca el comienzo, y las interrogaciones son el signo de la conjunción y la dispersión. En suma: un proceso de avance, de camino hacia el más allá del tiempo originario:

todos se transfiguran, todos vuelan,
cada moldura es nube, cada puerta
da al mar, al campo, al aire, cada mesa
es un festín; cerrados como conchas
el tiempo inútilmente asedia,
no hay tiempo ya, ni muro: ¡espacio, espacio,
abre la mano, coge esta riqueza,
corta los frutos, come de la vida,
tiéndete al pie del árbol, bebe el agua!

Piedra de sol es una peregrinación de nombres en busca de los nombres: cada nombre evoca al otro, y éste a otro; así, el movimiento será infinito, circular, constante, repetible. No existe, pues, detenimiento en la marcha, pero sí fijación de los instantes en la palabra, instantes que no son sucesivos sino simultáneos. Una marcha que acepta y reúne los dos ritmos, el de constante progresar y el del estatismo perenne. «Lo que caracteriza el poema —escribe Paz— es su necesaria dependencia de la palabra; tanto como su lucha por trascenderla» (17). Juego de contrarios que se aúnan y complementan en el todo del poema, llamada o convocatoria de las diferentes voces para confluir en la única voz: la del poema.

La necesidad de atravesar esas fronteras, de superar el tiempo lineal y acceder al tiempo anterior al tiempo, al tiempo cíclico del mito, sólo se puede satisfacer con la visión del cuerpo como trasparencia, con la consumación de todo en el instante («el mundo ya es visible por tu cuerpo, es trasparente por tu transparencia»). Lo erótico aparece entonces como la única vía posible para andar siempre más allá y materializar la trasmutación analógica o metafórica. El erotismo es exaltación del espacio y del instante, de la perfección y de la anulación de esos tenaces contrarios que se mantienen a lo largo de todo el poema:

> *las desnudeces enlazadas*
> *saltan el tiempo y son invulnerables,*
> *nada las toca,*
> *vuelven al principio.*

Una vez más, la poesía de Octavio Paz se evidencia como búsqueda de la colectividad inicial de la oración: una forma de anular las voces individuales y fundirlas en una, la del poema, reflejo de la voz que nos nombra y por la cual nombramos. Una vez más la poesía de Octavio Paz se libera de normas y sistemas, busca lo esotérico y lo misterioso, el ámbito del mito, que supone el encuentro de cada uno con su *otro,* y la conformación de la totalidad que da razón a la existencia:

> *nunca somos*
> *a solas sino vértigo y vacío,*

muecas en el espejo, horror y vómito,
nunca la vida es nuestra, es de los otros,
la vida no es de nadie, todos somos
la vida...

* * *

Muchos son los poemas que podrían explicar con detalle el erotismo de la poesía de Octavio Paz. En todos ellos, además asistiríamos a ese doble juego que se ha apuntado; de una parte, la presencia del tema del abrazo, de la cópula entre los cuerpos; de otra, la erotización de los signos que escriben ese abrazo. En todos ellos, también se repetirían las constantes que hacen del erotismo no la *narración* de una determinada experiencia erótica, sino la constante búsqueda de una distribución erótica de la escritura, de una significación erótica en la aparición y distribución de los signos en el poema, y —consecuentemente— la valoración ritual, mágica, del proceso. El erotismo de la poesía de Paz se presenta siempre como la culminación de un ceremonial, de un rito a través del cual se va acercando el hombre a su origen, al otro lado, a «la orilla de lo improbable».

Para que se consiga esto es necesario que la atracción del cuerpo por el otro cuerpo sirva para *reescribir* a éste, para ir diciéndolo otra vez, para descubrirlo como posibilidad de transparencia, nunca como límite. Y el descubrimiento, la interrogación constante y la minuciosa comprobación, la confirmación de la existencia física de lugares recónditos pero que se aparecen como metáfora de la totalidad, se debe hacer por medio de los acercamientos sensoriales primarios, por medio de los contactos físicos: el erotismo entonces no sólo es temático, sino que es consustancial a la razón de ser de la poesía, de la escritura poética. El poema *Maithuna,* incluido en *Ladera Este* (vid. Antología), es un interesante ejemplo.

Comienza con una breve estrofa, de cinco versos,

cuya estructura nos remite inmediatamente al *haikú*, y cuya concentración máxima nos pone en camino de una máxima dispersión, de una máxima multiplicación, que se irá desarrollando a medida que el poema avance. Una concentración que es producto de la mirada, de una mirada activa, que supone el primer contacto entre el oficiante del rito (el yo = la acción) y su complemento (el tú = producción de atracciones para que se desarrolle esa actividad):

> *Mis ojos te descubren*
> *Desnuda*
>   *Y te cubren*
> *Con una lluvia cálida*
> *De miradas*

El mirar es una acción interrogativa, intelectual, pero también se llena de un sentido sensual, primario, al ir acompañado de esa *lluvia cálida,* que además cubre la desnudez del cuerpo contemplado. Esta serenidad inicial de la contemplación nos introduce en la ceremonia, nos describe un primer círculo, que acude hacia su complementario, el de los atractivos. Un segundo círculo que, aun en su pasividad, desprende una serie de efluvios que servirán de canales de acceso. Efluvios que son sonoros y visuales («Una jaula de sonidos/.../Tu risa»; «Luz cernida/La espiral cantante/Devana la blancura»). Efluvios que permiten el encuentro, la fusión de ámbos, bien en el yo, bien en el tú, bien en el todo, de forma indistinta, produciéndose así la dispersión y atracción sucesivas:

> *Mi día*
>   *En tu noche*
> *Revienta*
>   *Tu grito*
> *Salta en pedazos*
>   *La noche*
> *Esparce*

> *Tu cuerpo*
> *Resaca*
> > *Tus cuerpos*
> *Se anudan*
> *Otra vez tu cuerpo*

Pero el erostimo de Octavio Paz no-culmina en este contacto primario, en esta consumación de la unión sensual y sensorial, sino que, a partir de ella, se desarrolla una capacidad analítica y una reflexión. Lo importante en la unión erótica, en el conocimiento total del cuerpo es encontrar su transparencia, su capacidad para trascender el límite del tiempo histórico e instalarse en el tiempo anterior, en la *otra orilla*. Nombrado y definido el cuerpo, sentido como *el otro,* se impone un avance hacia esa otra parte en un encuentro sucesivo de metáforas, de analogías, que anulen las contradicciones, donde los cambios de sustancia sean posibles. El cuerpo, en este momento, en la «hora vertical», puede serlo todo, y sus contrarios:

Tu sombra es más clara
Entre las caricias
> *Tu cuerpo es más negro*
....
Tu risa incendia tu ropa
> *Tu risa*
Moja mi frente mis ojos mis razones
Tu cuerpo incendia tu sombra
....
En el acto de amor
> *Sobre el precipicio*
Tu cuerpo es más claro
> *Tu sombra es más negra*
Tu ríes sobre tus cenizas

Y el verso se ha desarrollado, se ha ampliado para hacerse más reflexivo, más inquisidor, y para comprobar, incluso, a través de los contactos sensoriales, la influencia del tiempo y de la existencia «Los terrores de tu infancia/Me miran/Desde tus ojos de precipicio/Abiertos/En el acto de amor»), la visión complacida de que, como el ave fénix, el cuerpo puede renacer de sus cenizas por la satisfacción (la risa) de haber encontrado el nuevo tiempo y el nuevo espacio en el que el tiempo no es sucesión, sino verticalidad del instante.

Los contactos, conforme se hacen más completos, más insistentes, acentuarán la relación analítica, la búsqueda que se opera en el cuerpo, la confusión absoluta de contrarios. Ya no es la mirada la vestidura; ya no cubre la distancia más o menos corta, sino el contacto pleno. La aliteración *lengua - lengua- - lenguajes* y la presencia del participio como expresión máxima de la culminación, de la consumación, permite acceder a la confusión sonoro-visual,.y a la confirmación de la escritura como un contacto más. La unión sensorial de los cuerpos permite que el cuerpo sea reescrito, se escriba y se borre sucesivamente como una unidad, y se haga una totalidad con ese otro cuerpo que escribe y niega, viste y desviste:

> *Escritura que te escribe*
> *Con letras aguijones*
> *Te niega*
> *Con signos tizones*
> *Vestidura que te desviste*
> *Escritura que te viste de adivinanzas*
> *Escritura en la que me entierro*

Y de la misma manera se produce una transustanciación entre los cuerpos, entre el yo y el tú, y la lluvia «de manos de hojas de dedos de viento» cae «sobre tu cuerpo/Sobre mi cuerpo sobre tu cuerpo». Para adoptar —en ese preciso instante— una posición de distanciamiento, de receso, donde la acción se detiene y da paso, nuevamente, a una concentración intelectual, a una brevísima estrofa (cuatro versos, de apenas dos palabras cada uno) que sirve de acceso a la parte final del poema, a la reanudación y culminación de esos contactos y de esa búsqueda. Una vez reconocido el otro cuerpo, reconocido el lugar de reencuentro original al que nos ha conducido (que no se materializa, sino que se vislumbra únicamente a través de la palabra. «Desnacimientos:/Blancor/Súbito de agua/Desencadenada»), el tiempo se hace eternidad en esos infinitivos (*dormir - despertar- - abrir*), que confirman la capacidad para continuar el ciclo. El poema no culmina; el viaje no es la llegada a un sitio que se conoce, sino que es el eterno y constante retornar. Y el poema inicia nuevamente el rito amoroso, con una nueva aliteración paralela entre los elementos que se encierran en los paréntesis y los que discurren fuera de él, pero siempre, incluso después de esta concentración absoluta de todo lo anterior que es la estrofa final, los últimos versos nos dejan nuevamente en el camino del nuevo comenzar:

> *Y nueva nubemente sube*
> *Savia*
> *(Salvia te llamo*
> *Llama)*
> *El tallo*
> *Estalla*
> *(Llueve*
> *Nieve ardiente)*
> *Mi lengua está*
> *Allá*
> *(En la nieve se quema*
> *Tu rosa)*
> *Está*
> *Ya*
> *(Sello tu sexo)*
> *El alba*
> *Salva*

128

Observe, finalmente, el lector cómo el proceso de aliteración que se vincula a los signos exteriores, a los que no se encierran en el paréntesis, corresponde a una descomposición de la palabra hasta llegar al estatismo. Desde el movimiento violento de *Estalla* al estado puro de *Está ya,* que a pesar de ser presente como el primero se impregna de un contenido estático radical. En medio, la relación espacial, *está allá,* que pone en contacto a los dos elementos anteriores. Por su parte, los elementos aliterativos entre paréntesis dibujan un camino complementario del anterior: supone la consumación del acto desde la llamada de la *llama* hasta la firmeza y conclusión final («Sello tu sexo)»), a través del encendimiento de la nieve y el hervor de la lluvia. No queda nada fuera de esta prieta totalidad que es el poema. Incluso esos dos versos finales, que parecen iniciar otro círculo son necesarios para restablecer ese constante proceso concéntrico del movimiento poético de Octavio Paz.

Erotismo, pues, al margen de cualquier concepción unitaria o tradicional. Erotismo que despierta no sólo los sentidos y sus capacidades, sino que permiten la renovada reagrupación de los signos y el protagonismo de la escritura para descubrir la transparencia del cuerpo y la plenitud del tiempo instantáneo. Erotismo, en fin, que produce un espacio sagrado, un lugar mágico donde iniciar la recuperación y los nexos con el diálogo original.

REFLEXION SOBRE EL LENGUAJE

Tras el reconocimiento de la crisis del diálogo, y la urgencia por encontrar un lenguaje no confundidor, que sea palabra pura y original, y tras el encuentro con la culminación del orden armónico de las analogías en el acto erótico (fusión del tiempo instantáneo y del espacio puro; fusión de contrarios en una totalidad equilibrada de fuerzas que se buscan e interrogan), Octavio Paz llega a la convicción del poema como lugar, como ámbito de esa confluencia, y a convencerse igualmente de que los signos son los verdaderos protagonistas del poema. No existe una sola lectura del mundo en la escritura poética, sino una conversión del mismo en un espacio y tiempo diferentes, espacio y tiempo donde lo esotérico y analógico sirven de apoyos para su configuración.

Puede que este panorama requiera una somera explicación. Guillermo de Torre, en su *Historia de las literaturas de vanguardia* (18) censura la actitud de André Breton en la segunda época surrealista (la que corresponde precisamente a la conexión de Octavio Paz con el movimiento francés); precisamente considera una disgresión de la concepción surrealista ese «replegamiento (de Breton) en las regiones del esoterismo y el culto que tributa a ciertos curiosos personajes de la línea místico-ocultista, mezclándolos con algunos reformadores sociales y queriendo conciliar las sombras de la Gnosis y las de la anarquía, la resurrección de la Cábala y el mesianismo social». Reconoce sin dudarlo, no obstante, la concomitancia sorprendente entre algunos descubrimientos de la física, la biología y las matemáticas que «parecen —pueden ser— mágicos (...) ¿pero realmente implica todo ello una reanudación del esoterismo?».

El escepticismo desconfiado de Guillermo de Torre quizá sea peligrosamente excluyente, por más que si observamos esa influencia en Octavio Paz nos vamos a encontrar con que no se trata de una simple incorporación de elementos más o menos exóticos, sino que es consecuencia de una serie de experiencias que van desde la asunción de una heterodoxia crítica a una directa influencia de Breton y el surrealismo, pero sin olvidar nunca la decisiva importancia que tiene en su pensamiento el estudio de las raíces culturales de Hispanoamérica, la filosofía y la cultura orientales y la antropología y lingüística estructurales. El esoterismo de Octavio Paz no es un esoterismo temático (como no lo era su erotismo), desborda lo anecdótico, e impregna las relaciones entre los signos literarios.

Esa creencia fundamental en lo analógico (y no he escrito creencia de forma inconsciente) hace que el poema no sea producto de un creador, sino que, elemento gráfico, como espacio y forma concretos, tiene también parte (y parte igualmente importante) en la creación del mismo. Es más, el poema no es sólo una lectura, sino que esta lectura tiene que ser vista, contemplada; no se trata de utilizar una serie de materiales conocidos, sino que exige la creación de otros nuevos, y de una creación pura cada vez. Nos movemos, lo sé, en el campo de las utopías, pero tal y como Octavio Paz plantea el trabajo poético, es inevitable que demos en esa utopía. Charles Fourier es, para Paz, uno de los ejes del pensamiento contemporáneo, del pensamiento revolucionario occidental. En el pensador francés (y esto es lo que destaca el poeta mexicano) se dieron cita tanto la crítica de la filosofía occidental como la introducción de elementos ocultistas connaturales al pensamiento religioso-filosófico del mundo oriental. Es más, hablar de utopías no supone inexistencia de dificultades. Octavio Paz trata de encontrar su mundo poético en una tradición que considera válida; no deshecha nunca —por ejemplo— el barroco, ni la mística, ni tampoco la continuidad de la poesía contemporánea desde el romanticismo en adelante, pero comprende también (y aquí está la clave de su singularidad) que si no es a través de la superación de los límites que ésos y otros conceptos evidencian, si no es a través de la subversión de los elementos asimilados, jamás se podrá alcanzar la conquista de una absoluta liberación del lenguaje; siempre lo veremos sometido a leyes, a sistemas de significación, a determinadas direcciones, que lo pondrán a merced del control del poder.

Para consumar el retorno, para que el tiempo cíclico permita volver al comienzo, a encontrarnos en el mundo incierto de la otra orilla (imprecisable siempre, y sólo vislumbrada ocasionalmente por la palabra poética), tendrá que eliminarse la lucha de contrarios. El diálogo entre el escritor y el mundo no puede basarse en el acatamiento de un lenguaje, sino en el descubrimiento de los complementarios, en la consecución del ritmo armónico entre los elementos que componen el mundo, entre los signos que componen el texto que es el mundo, y —consecuentemente— la escritura, que engloba todas las sílabas de ese lenguaje inicial. Y la escritura no debe mantener las diferencias, sino servir de nexo entre ellas, de lugar de reconciliación, sin que ninguna pierda su identidad.

La analogía supone también crítica, una subversión, porque presupone una eliminación de jerarquías; rompe con la tiranía de la palabra y se enfrenta a su orden establecido: el lenguaje no es un instrumento de comunicación entre los hombres, el hombre es vehículo del lenguaje, forma parte de él. El escritor no podrá nunca mantener la certidumbre frente a las palabras que utiliza porque no es el único autor del texto que escribe; el escritor sólo es un traductor, una voz que repite otras voces. De ahí a la eliminación del autor como personalidad creadora, en favor de una voz colectiva inicial, no hay sino un paso.

Estos presupuestos, que se han repetido con muy ligeras variaciones a lo largo de la obra crítica y poética de Octavio Paz, se vierten en la especulación en torno al lenguaje, en la experimentación de la sintaxis del poema, como materialización de ese pensamiento. Poco a poco —y es fácil observarlo en la lectura de la poesía de Paz— nos damos cuenta del cambio de la disposición formal, de una distribución de los elementos que es síntesis de la poesía narrativa y del fragmentarismo instantáneo, de la comunicación testimonial y del esoterismo. Comprendemos, a la vista de lo que hemos dicho anteriormente, que no se trata de un juego caprichoso de formas, que no se trata de vaciar los contenidos, sino de multiplicarlos; de hacer significativos elementos que hasta ahora habían sido rechazados, olvidados; de dar vitalidad a entes hasta ese momento pasivos, insignificantes. La palabra, la frase, el verso (que ya se ha liberado, o se va liberando, de la tiranía lineal), emprenden unas nuevas relaciones que no se explican en un solo sentido, ni con respecto a una única posición intelectual. Octavio Paz pretende fundar una nueva comunicación, una nueva relación entre los signos, y también entre el autor y el lector, y entre los valores que se reúnen en el poema. Este último deja de ser discursivo y se hace espacial, se sitúa en un espacio, por demás discontinuo, que es también elemento significante. Un poema que, desarrollado en el instante, preste sus apoyaturas a un discurrir reflexivo e intenso, durable en esa intensa profundidad, pero a la vez extensible y comprobable a través de su movimiento y disposición espaciales:

Yo estoy de pie, quieto en el centro del círculo que
hago
al ir cayendo desde mis pensamientos,
estoy de pie y no tengo a dónde volver los ojos,
no queda ni una brizna del pasado,
toda la infancia se la tragó este instante y todo el
porvenir
son estos muebles clavados en su sitio,
el ropero con su cara de palo, las sillas alineadas en
la espera de nadie,
el rechonco sillón con los brazos abiertos, obsceno
como morir en su lecho,
el ventilador, insecto engreído, la ventana mentirosa,
el presente sin resquicios,
todo se ha cerrado sobre sí mismo, he vuelto
adonde empecé, todo es hoy y para siempre.

La síntesis temporal y espacial que refleja esta
enumeración es bastante explícita. Cuando ya no es
necesario precisar nada más, cuando ya las explica-
ciones son inútiles, el instante se consuma, «todo es
hoy y para siempre». Todo se hace instante, único
tiempo capaz de anular las diferencias, sin elimi-
narlas.

LA INCORPORACION DE ORIENTE

Ladera Este, libro escrito entre 1962 y 1968, supone la incorporación del mundo oriental en la poesía de Octavio Paz. La huella de sus estancias sucesivas en el Japón o la India han dejado una honda huella en el pensamiento de nuestro escritor, y es imposible acercarnos a cualquiera de sus libros sin notar influjos más o menos intensos de esas corrientes de pensamiento y de ciertas y determinadas formas expresivas de inequívoca estirpe oriental. Oriente, además, en el caso concreto de la poesía, ofrece a Octavio Paz nuevas perspectivas para desarrollar a plenitud los aportes que se han ido acumulando en las etapas sucesivas de su obra. Es en el arte y la literatura orientales donde Paz encuentra la realización práctica del mundo de las analogías, de la presencia de lo esotérico, de la negación del tiempo como discurso, de la exaltación del instante, de la negación de las dicotomías.

Pero importa añadir —y *Ladera Este* lo confirma— que Octavio Paz recibe en su poesía, del mundo oriental también, las formas adecuadas para expresar esa determinada visión del mundo. Con este libro se consuma la conjunción de los tiempos dispares y particulares en el espacio puro que es el poema; se consuma la reunión, la totalidad, que no deja de ser nunca colectividad, porque no supone reducción a la

unidad, sino confluencia de las peculiaridades individuales en una totalidad armónica:

> *Escribo me detengo*
> *Escribo*
> *(Todo está y no está*
> *Todo calladamente se desmorona*
> *sobre la página)*

Cada poema es entonces una invención y una creación elemental, pura. Paz ha logrado identificar las
preocupaciones básicas de su poesía: la invención del
lenguaje (América es una realidad que inventamos
cada día) y la utilización de la palabra pura, original
(«Soy una historia–Una memoria que se inventa–Nunca estoy solo–Hablo siempre conmigo Hablas
siempre conmigo–A oscuras voy y planto signos»). El
lenguaje utilizado habitualmente no vale, y es preciso
inventarlo constantemente, mantenerlo vivo.

La experiencia se ha desplazado totalmente del yo
a la escritura. Ha desaparecido el discurso poético, su
carácter comunicativo unitario, y nos encontramos
con un poema que es, en sí mismo, una capacidad de
experiencia. Y sus elementos son posibilidades de
modificarla constantemente. La distribución espacial,
la eliminación de la puntuación, la simultaneidad y el
paralelismo que llenan todos los poemas de *Ladera
Este* implica también a la lectura. El problema básico
que surge al acercarnos a la obra de Paz, no como
reflejo de una determinada personalidad o unas determinadas posiciones culturales, sino como obra escrita en sí misma, es la dificultad para asimilar los materiales o instrumentos con los cuales operar sobre ella:
las relaciones entre el lector (y por supuesto el crítico) y el poema se han desplazado desde un concepto
lineal o discursivo a una visión instantánea y cíclica.
No se trata ya de *leer* la experiencia en el poema, sino
de *ver* el poema en la lectura. Los signos como tales

valen, tienen una funcionalidad, y su distribución es igualmente significativa; los espacios en blanco, o el espacio ocupado por los signos, guardan igualmente una serie de correspondencias significativas, que variarían completamente si la disposición fuera distinta. El espacio, que es una de las preocupaciones sustantivas de la poesía de Octavio Paz, además de determinar el· lugar, convierte al poema —como ya hemos advertido varias veces— en punto de confluencia de una convocatoria, y señala una relación de alteridad con respecto a los signos que sobre él se distribuyen. El espacio en blanco es el silencio, pero el silencio no es negación, sino existencia en sí misma, justificada por la existencia de su contrario: el sonido, la voz, la palabra.

La superficie sobre la que se inscriben los signos o ideogramas es equivalente o, mejor dicho, la manifestación del tiempo que, simultáneamente, sostiene y consume la arquitectura verbal que es el poema (19).

Quizá en esto radique la imposibilidad de confundir el signo escrito con el de la pintura. Podría parecer que esta preocupación por el espacio y por la valoración del signo en el mismo llevaría a Paz a identificar escritura y pintura, a derivar en un preocupación de índole exclusivamente caligráfica, máxime si tenemos en cuenta el específico carácter caligráfico de la escritura oriental. Pero nunca llegarán a confundirse porque la página es una metáfora temporal: los signos se mueven y transcurren en su espacio: «Toda lectura de un poema —escribe Paz— cualesquiera que sean los signos en que esté escrito, consiste en hablar y oír con los ojos» (20). Una relación muy distinta que debemos tener muy presente a la hora de adentrarnos como lectores o críticos por una poesía de tan compleja intensidad como la de Octavio Paz.

*La gran lección del budismo es su reflexión sobre
la negación. Nosotros vemos la nada como lo
opuesto al ser. Quizá no lo sea (...) Quizá, en la
verdadera realidad, el* ser *se disuelve en la* nada.
Pero nada *es una palabra inexacta. Sería mejor
decir* sunyata, vacuidad. *Es una palabra que designa a una realidad que no es ni ser ni no-ser.
Algo que las palabras no pueden definir: sólo el
silencio. En la vacuidad no interviene ninguna idea
de la eternidad o salvación personal* (21).

Esta eliminación de los contrarios y este concepto
de la negación, de la vacuidad y el silencio, va a ser
altamente representativa de esta última etapa de la
poesía de nuestro escritor. Con ello se ha consumado
el ciclo de asunción temática, y se descubre que la
eliminación de contrarios potencia las relaciones textuales, que son ahora las que destacan: los dobles
complementarios serán la base de desarrollo de los
poemas, y en esa perfecta conjunción de ambos es
donde el poema se produce:

*La música
Inventa al silencio,
              La arquitectura
Inventa al espacio.
              Fábricas de aire.
El silencio
        Es el espacio de la música:
Un espacio
        Inextenso:*

*Salvo en la mente.
              El silencio es una idea,
              La idea fija de la música.
La música no es una idea:
              Es movimiento,
Sonidos caminando sobre el silencio.*

Esta relación dual, esta sucesiva metáfora de las

analogías es un recorrido que desanda el tiempo, que retorna constantemente al tiempo anterior («Caminos/Hacia lo que somos/El poeta/Lo dices en tu carta/Es el preguntón/El que dibuja la pregunta/sobre el hoy/Y al dibujarla/la borra»).

Al asimilar de forma tan directa la experiencia oriental, *Ladera Este* mantiene en lugar muy destacado el tema del erotismo, la presencia del cuerpo. El cuerpo como transparencia, como posibilidad de ejercer sobre él la lectura del mundo:

> *Tus pechos*
> *Maduran bajo mis ojos*
>   *Mi pensamiento*
> *Es más ligero que el aire*
>   *Soy real*
> *Veo mi vida y mi muerte*
> *El mundo es verdadero*
> *Veo*
>   *Habito una transparencia*

Lo erótico es así (una vez más) la imagen precisa de la confluencia de complementarios, el equilibrio armónico que alcanza la suprema perfección de la totalidad. Las imágenes nos llevan de uno a otro, y la realidad adquiere plenitud en el todo. El poema encadena una serie de visiones, sin que ello implique una sucesión lineal o narrativa, sino que se convoca a los signos y éstos mantienen su protagonismo en una multiplicidad simultánea de relaciones. Se elimina la puntuación y se delimita cada uno de estos signos en torno a la relación instantánea del cuerpo y los sentidos, en torno al reconocimiento de la alteridad.

Así la lectura de la poesía deja de ser discursiva, lineal. El poema necesita ser visto, y hay que tener en cuenta igualmente la simultaneidad de voces que se suman en él, la pluralidad de textos que confluyen en un único texto. El lector tiene que abandonar su pasividad, sortear las dificultades y vericuetos íntimos, que sólo aparecerán claros en el momento en que sea capaz de abrirse multiplicadamente a las diversas combinaciones espaciales del verso, aparentemente caótico e incoherente, pero rico y sencillo en su multiplicidad. Hay un poema en *Ladera Este,* el titulado *Eje* (vid. Antología), que puede servirnos para explicar algo de esto. Aunque lo incluyo en la antología final, en la que el lector puede encontrarlo y saborearlo, no me sustraigo a hacer un análisis del mismo, que puede servir de guía, o de aproximación a su lectura.

La misma distribución de las unidades del poema, de los versos, ya nos ofrecen una trama peculiar, densa e intensa, que posibilita la libertad del lector para encontrar relaciones múltiples e insospechadas. Nuevas relaciones que persiguen nuevos objetivos para la comprensión del proceso creador; objetivos que no son definitivos, pero que permiten, a su vez, una nueva búsqueda de nuevas relaciones. El poema es, además, un poema erótico y nos ofrece un nuevo ejemplo de fusión de contrarios en una totalidad, sin que ninguno de ellos pierda su identidad. Y en tercer lugar es un modelo de construcción, donde los signos y el espacio que los contiene adquieren protagonismo indiscutible.

El poema se compone de tres partes muy bien diferenciadas, y que señalan un ritmo encontrado, en dos direcciones complementarias. Veamos: la primera parte, que abarca los seis primeros versos

(Por el arcaduz de sangre
Mi cuerpo en tu cuerpo
                    Manantial de noche
Mi lengua de sol en tu bosque
                    Artesa tu cuerpo
Trigo rojo yo
....

corresponde a la actividad del yo, a la tensión de

140

búsqueda y reconocimiento, pero corresponde también a la oscuridad («Manantial de noche»). Esa fuerza avanza hacia el tú, su complementario, y fuerza que sirve de equilibrio a la primera, con su pasividad, con su inquietud y aceptación, pero también con su posibilidad de luz («Manantial de soles»), como vemos surgir desde el final del poema, en los últimos versos, inversión de los términos iniciales, incluso en la construcción sintáctica de las frases:

> Tu bosque en mi lengua
> > Por el arcaduz del cuerpo
> El agua en la noche
> > Tu cuerpo en mi cuerpo
> Manantial de huesos
> > Manantial de soles

Además, estas dos fuerzas que se mueven la una hacia la otra, van a tener su lugar de conjunción en la parte central del poema, pero después de una gradación perfectamente distribuida y escalonada. La fuerza inicial, la del yo, la potencia activa, se pone en movimiento, avanza, y este avance supone un reconocimiento de la fuerza que le sirve de complemento, primero a través de una simple conjetura, de una definición inicial: «Artesa tu cuerpo–Trigo rojo yo» (el lugar que espera recibir y la fuerza, la potencia de la germinación; fuerza que, además, es roja, es sangre, y se desplaza a través del canal, del arcaduz que sirve de conexión). A través del arcaduz avanza esta fuerza primaria (agua, noche, sol, cuerpo) hasta encontrar y reconocer plenamente al tú que la recibe:

> Tú noche del trigo
> > Tú bosque en el sol
> Tú agua que espera
> > Tú artesa de huesos

para alcanzar la fusión total en la estrofa siguiente donde por el arcaduz del sol (de luz), los elementos que antes caracterizaban contrarios se han fundido plenamente:

> *Por el arcaduz de sol*
> > *Mi noche en tu noche*
> *Mi sol en tu sol*
> > *Mi trigo en tu artesa*

Los dos versos centrales («Por el arcaduz de noche–Manantial de cuerpos») suponen un contacto con el origen anecdótico y una referencia del lugar del encuentro, son, en fin, el punto central, el eje, de esta fusión. Es importante notar que el poema nos ofrece las fuerzas en movimiento, y que por lo mismo nos brinda la posibilidad de hacer dos lecturas simultáneas, dos lecturas que avanzan recíprocamente la una sobre la otra, hasta que quedan convertidas en un solo texto; dos o más voces (porque hay que notar que los objetos que aparecen y que caracterizan cada uno de los movimientos señalados tienen su propia voz) que se funden en la voz del poema.

Ladera Este se ha convertido ya en un despliegue de recursos ideográficos. El poema prescinde del verso como unidad, porque los elementos adquieren total autonomía. Ya la columna que leemos sucesivamente, y de arriba abajo, no tiene sentido, y sí lo empiezan a adquirir las palabras según la disposición fuera de la columna, según su tipografía, tamaño y distribución. El poema, como hemos visto, adquiere representatividad visual, presencia física, y sus partes se conectan y complementan. *Vrindábán* es otro poema ejemplar en este orden de cosas. Según Saúl Yurkievich, «*Vrindábán* se despliega en dos planos contrapuestos que se anulan: uno es el externo, el de la ficción, el de la voluntad figurativa que intenta crear una representación autosuficiente, la ilusión de la realidad, que invita al lector a entrar, a participar en la proyección imaginaria, a dejarse atrapar por el conjuro, a aceptar el protocolo, el estatuto literario. El otro plano, el de los paréntesis, subyace y soporta al primero, aflora intermitentemente y produce la rotura de la ficción; muestra el trabajo de montaje, la escritura en vías de producirse; desnuda la retórica; mediatiza la anécdota, contraviene la verosimilitud del primero, quiebra el encantamiento» (22).

Pero yo me atrevería a añadir que este segundo plano, más que quebrar el encantamiento del primero, lo que hace es darnos la clave de nacimiento; y más: hace surgir, dentro del primero, otro poema, el de la escritura, que puede ser la crítica de aquél. Hemos hablado ya de *El mono gramático*, y *Vrindabán* viene a confirmarnos lo que decíamos: la aparición simultánea en la poesía de la creación y la crítica de esa fluencial verbal, si bien el primero, como veremos más adelante, supone la culminación de ese trabajo. Repasemos ahora el segundo nivel del que habla Yurkievich:

> Escribo
> (Todo está y no está
> Todo calladamente se desmorona
> sobre la página)

El texto se recibe en su espacio, pero sin que lo caracterice la linealidad, entra en el ámbito mágico y allí se desmorona el tiempo de la anécdota («Hace unos instantes–Corría en un coche–Entre las casas apagadas...»), lo que Yurkievich llama el plano de la *representación autosuficiente:* allí no es la sucesión temporal, sino el acto de escribir lo que se viene a primer plano. Y el tiempo de trazar esa escritura es el tiempo del poema:

> (Ahora trazo unos cuantos signos
> Crispados
> Negro sobre blanco

> *Diminuto jardín de letras*
> *A la luz de una lámpara plantado)*

La diversificación de los planos, el paralelismo a través del cual se desarrolla el acto de poetizar, crea al mismo tiempo una distanciación irónica, racional e intencionada, a través de la cual conocemos la otra cara del lenguaje, la otra fundación de la escritura; del tiempo de la escritura, y de su espacio:

> *(Escribo*
> *Cada letra es un germen*
> > *La memoria*
> *Insiste en su marea*
> *Y repite su mismo mediodía)*

> *(Aquí intervienen los puntos*
> *Suspensivos,*

Este doble juego también pone al descubierto la desazón de la escritura, el riesgo que la aventura de escribir presupone en el escritor, y la constante interrogación que desarrolla:

> *(Escribo sin conocer el desenlace*
> *De lo que escribo*
> > *Busco entre líneas*
> *Mi imagen es la lámpara*
> > *Encendida*
> *En mitad de la noche)*

A Octavio Paz le preocupa el otro lado del discurso poético y trata de darle presencia y eficacia significante dentro del propio texto creado; no quiere seguir dejándolo oculto, ni dándole una importancia secundaria.

* * *

La otra experiencia de Paz, quizá la que aporta mayor novedad a su trabajo, la que señala la culminación de la coherencia de su pensamiento, que trata de anular la voz personal del escritor en favor de las voces plurales que concurren al poema, va a ser *Renga,* ese poema colectivo que escribe, en la primavera de 1969, en colaboración con otros tres poetas de diferentes lenguas. *Renga* será para Octavio Paz un «poema escrito en cuatro lenguas y en un solo lenguaje: el de la poesía contemporánea». Se trataba de adaptar una tradición oriental, desconocida en las lenguas poéticas occidentales al mundo de la poesía europea y, además, nuestro escritor impuso otra dificultad: guiado por su concepto de que las nacionalidades literarias son únicamente convenciones históricas, pensó que el poema colectivo así escrito podría demostrar que la confluencia de cuatro lenguas distintas en un solo poema era posible. Atraído por el sentido combinatorio del *renga,* y las posibles concomitancias que tal carácter guardaba con las preocupaciones de la creación artística contemporánea (de las especulaciones de la lógica a las experiencias plásticas), y atraído igualmente por el carácter colectivo del juego, que se corresponde a la idea de crisis del concepto del autor como personalidad unitaria, y con la tendencia a una poesía colectiva, no colectivista, una poesía producto de la conjunción de voces diferentes, nace la idea y el poema que se conoce con el nombre de *Renga.*

Su composición no es —aunque pueda parecerlo y se origine desde una actitud similar (23)— una variante de la escritura automática, puesto que está regida por una serie de leyes combinatorias estrictas:

> *El elemento combinatorio consiste en la redacción de un poema por un grupo de poetas; de acuerdo con un orden circular, cada poeta escribe sucesivamente la estrofa que le toca y su intervención se repite varias veces. Es un movimiento de*

*rotación que dibuja poco a poco el texto y del que
no están excluidos ni el cálculo ni el azar: Mejor
dicho: es un movimiento en el que el cálculo prepara la aparición del azar. Subrayo que el* renga
*no es una combinatoria de signos sino de
productores de signos: poetas* (24).

Se elimina, pues ante todo, la voz del poeta, y se
supedita a una especie de partitura confluyente en la
que todas las voces concuerden con el texto único, en
la totalidad del lenguaje poético, a pesar de tan radicales diferencias lingüísticas, incluso diferencias en lo
que a tradición literaria se refiere (distinta era, por
ejemplo, la tradición que determina la estructura del
soneto —estrofa que se toma como referencia para la
construcción del *renga*— en la poesía latina y en la
poesía anglosajona). Lo cierto es que, progresivamente, cuando penetramos en la lectura del *Renga,* el
poema va naciendo ante nosotros. Al principio, y
habida cuenta la doble lectura, horizontal y vertical
(es decir, sucesiva e instantánea) que la obra implica,
parece que no vamos a llegar a captar el poema en su
totalidad, que lo vemos como una dispersión, y sin
embargo, aquella se va dando a medida que avanza la
lectura.

El renga *está dividido en varias secuencias o
modos. El modelo de esta disposición es el paso de
las estaciones y el de las veinticuatro horas del
día, del alba a la noche. Una composición lineal y
circular, un dibujo de extrema simplicidad y ele-
gancia que, en la esfera de la música,tiene su
correspondiente en la melodía. Nosotros mo-
dificamos radicalmente estas características meló-
dicas y lineales... guiados quizá por el instinto que
nos llevó a escoger el soneto y a concebir nuestro
renga no como un río que se desliza sino como un
lugar de reunión y oposición de varias voces: una
confluencia* (25).

Pero además (y de cara al lector esto es muy importante) el *renga* incluido en una concepción cultural completamente distinta a la occidental, implica una acomodación de nuestra actitud a esos conceptos: en primer lugar, la idea de la no existencia de la realidad única *yo* ni de la unidad creadora del dios. Frente al furor individualista de Occidente, la tradicional aceptación de la idea de grupo como básica en la cultura japonesa. *Renga* funde de forma práctica los dos conceptos culturales en un solo lenguaje poético, y consuma, al mismo tiempo, el rescate de la pluralidad de voces que crean el poema, y que se habían adormecido en la retórica gramatical y en el concepto de autor individual. A medida que se lee el *renga* de Octavio Paz, Charles Thomlinson, Edoardo Sanguineti y Jacques Roubaud, asistimos a una escritura que empieza dispersándose para conectarse luego a través de los temas, de las distintas lenguas (que curiosamente coinciden de forma sorprendente), y para aparecer al final como una totalidad en la que cada una de sus partes se concentran y ensamblan perfectamente. No es fruto del azar, sino una imposición combinatoria, que el último poema de cada serie tuviese que ser escrito, en su totalidad, por cada uno de los poetas convocados.

Esta construcción colectiva se consigue superponiendo simultáneamente diferentes referencias a la experiencia personal, a los acontecimientos inmediatos, al contorno anecdótico, a las situaciones ocasionales que se iban produciendo en el lugar de la escritura, los objetos que estaban alrededor, o los lugares del entorno físico ciudadano en que se hallaban inscritos; al tiempo que se incluían alusiones mitológicas, abstractas, irracionales. Todo ello lo vamos recibiendo según se va gestando, y ésa es la conclusión más interesante de la lectura:se trata de un texto en movimiento, de un texto que leemos al mismo tiempo que se produce y escribe. No sólo hemos llegado a ese más allá del tiempo donde la poesía se nos iba a brindar en estado puro, sino que lo hemos comprobado de forma palpable. Asistimos al momento en que la colectividad hace nacer el poema, al momento sucesivo en que este poema aparece. *Renga* no es una experiencia exótica o descabellada, es la culminación de una perfecta y coherente evolución poética, en la que Octavio Paz ha desplegado su rigor intelectual, su apasionada imaginación y su minuciosa capacidad de trabajo.

* * *

Podría parecer una afirmación exagerada, o quizá tendente a la fácil exaltación, impulsado por el entusiasmo que Octavio Paz trasmite siempre a sus lectores. Y nada más lejos de la realidad. Pensar que este escritor, este apasionado escritor de más de sesenta años, mantiene su obra en marcha, abierta a sugestiones y posibilidades que se multiplican cada vez más, puede ser algo ejemplar, y desde luego infrecuente en nuestro mundo literario. Si observamos además que sabe cuáles son las limitaciones a las cuales se enfrenta, y se siente en la necesidad de transgredirlas conscientemente, mucho más a mi favor. Octavio Paz, a pesar de esa pasión por la escritura, no se escapa hacia el ámbito de la enajenación, lo cual sería posible, sino que se esfuerza en aceptar riesgos y en ponerse a sí mismo dificultades en ese reto que lanza a la realidad y a la palabra, para poder justificar posteriormente, y por medio de la práctica del discurso, y de la crítica del mismo, su acción sobre aquellas («Búsqueda del fin, terror ante el fin: el haz y el envés del mismo acto»).

La clarividencia crítica de nuestro escritor no es producto de un exquisito trabajo de laboratorio, o de una erudición arqueológica y museable, sino que brota de esa potencia creadora constante y desbordada. La crítica para Octavio Paz es consustancial a su trabajo de creación. Ello le ha llevado a concluir un

libro sorprendente, un texto riquísimo y sugeridor a
un tiempo, que encierra, también, una profunda crítica del mismo. *El mono gramático* (26) más que un
texto poético, más que una narración mágica y que un
desbordamiento sensual (que todo ello es), supone la
constatación más evidente de las posibilidades y límites, de las razones y pasiones de la escritura. Se trata
de una experiencia, arriesgada y rigurosa, que evidencia las bases de las posibilidades de un texto; más:
del lenguaje literario. Se trata, diría, de un texto que
ha sido escrito y leído simultáneamente

> *(en dirección contraria a la actividad normal del*
> *hablante, cuya función consiste en producir y cons-*
> *truir frases, mientras que aquí se trata de desmon-*
> *tarlas y desacoplarlas —desconstruirlas, por de-*
> *cirlo así—.)*

y de esa simultaneidad surgen las coordenadas estructurales y sus valores de creación pura.

A partir del ojo, de la mirada, la realidad encierra
una multiplicidad de posibilidades, una capacidad de
metamorfosis, que no son propiedad exclusiva de la
realidad misma, o de la capacidad trasmutadora de
la visión, sino que se producen a partir de la relación viva que entre ambos (mirada y realidad) se establece:

> *La fijeza es siempre momentánea. Es un equili-*
> *brio, a un tiempo precario y perfecto, que dura lo*
> *que dura un instante: basta una vibración de la luz,*
> *la aparición de una nube o una mínima alteración*
> *de la temperatura para que el pacto de quietud se*
> *rompa y se desencadene la serie de las metamor-*
> *fosis.*

¿Cómo puede quedar todo esto explicitado cuando
es en apariencia desconcertante? Pues poniendo en
práctica esa operación que el autor mismo ya ha

señalado: el desmontaje del discurso. Y superando el primer nivel de la escritura (lengua = metáfora de la realidad), buscar a partir de ahí la superación del riesgo que supone la posesión intelectual de la realidad, que siempre conduce a la disipación o desvanecimiento de la misma:

> *Cada una de estas realidades es única y para decirla realmente necesitaríamos un lenguaje compuesto exclusivamente de nombres propios e irrepetibles, un lenguaje que no fuese lenguaje: el doble del mundo y no su traducción ni su símbolo.*

Se consigue así una crítica del tiempo del discurso: el acto puro de escribir y leer es complementario, tiende al origen («Por la escritura abolimos las cosas, las convertimos en sentido; por la lectura, abolimos los signos, apuramos el sentido y, casi inmediatamente, lo disipamos: el sentido vuelve al amasijo primordial»), y al propio tiempo a una valoración de lo instantáneo, de la confusión y plenitud del tiempo cronológico-histórico y sus fases convencionales (pasado-presente-futuro) en la consumación y recuperación de ese instante. El erotismo, el acto erótico, puede ser entonces símbolo ejemplar de tal postura y, por ello, habita en el centro de toda la especulación de nuestro autor. El origen no es una *vuelta a,* sino la iniciación constante e inagotable de la vida pura y de su poder generador.

El mono gramático es un libro en el que se sincronizan adecuadamente, y con una visión y sagacidad increíbles, los fundamentos teóricos de la creación literaria, al tiempo que se nos ofrece su explicitación y materialización prácticas. No estamos ante la *ilustración* de una determinada teoría, ni ante la explicación de unos formularios previos, sino que podemos andar con el creador todo el camino del alumbramiento de la obra; con él vemos cómo la expresión puede seguir operando de forma igualmente válida (o quizá mucho más), una vez traspasados los límites aparentes. Reconocido el lenguaje como la distancia entre las cosas y nosotros, lo que queda (y es lo que Octavio Paz consigue explicitar) es la anulación de la distancia a fin de que encontremos el reverso del lenguaje. A partir de entonces, la poesía se revelará no como un proceso narrativo, como transcurrir de un tiempo exterior a ella, sino como final, como consumación y culminación:

> *La escritura humana refleja a la del universo, es su traducción, pero asimismo su metáfora: dice algo totalmente distinto y dice lo mismo. Es la punta de la convergencia, el juego de las semejanzas y las diferencias se anula para que resplandezca, sola, la identidad.*

Se trata de una obra, a mi entender, imprescindible de cara a una comprensión de los límites y tensiones de la escritura poética más actual. Nos encontramos ante un texto que provoca, en primer lugar, la sorpresa, pero inmediatamente nos posee y nos inunda el misterio, nos inquieta esa fuerza irresistible que nos hace penetrar cada vez más en una realidad sugestiva, pero que nunca es una y la misma, sino todas las posibles. Y finalmente comprendemos que la palabra, la escritura, que el texto mismo es el protagonista de esta desazonante aventura que es *El mono gramático,* mito, símbolo, realidad incitadora a la que Octavio Paz ha dado validez indiscutible. Por eso, creo que —en este recorrido por la obra de Paz en sus diferentes etapas— supone el último paso, la culminación de todo el trabajo, y que sirve de complemento a *Renga.* Que mientras éste era la culminación de la búsqueda de la colectividad verbal, de las voces reunidas en la voz del poema, *El mono gramático* supone la culminación de la búsqueda del texto mismo, de la palabra. Desmontando el orden lineal de la lectura tradicional, volviendo constantemente al principio, se encuentra (nos encontramos) la Palabra inicial, la escritura originaria.

Pensar que ésta pueda ser la iniciación de una nueva escritura para la poesía en castellano es pensar ingenuamente, lo sé. Porque o vamos a acomodarnos en el fácil e inoperante mimetismo, o vamos a despreciar, entre escépticos y autosuficientes, una experiencia de indiscutible relevancia. Pero lo cierto es que sólo arriesgándose en la aventura de traspasar los límites últimos se alcanzará la posibilidad de salir de la reiteración estéril. En esta alternativa estamos, y a esta alternativa hemos de enfrentarnos. Es lo que no ha dejado de hacer en ningún momento Octavio Paz, y por eso su obra —al margen de que compartamos o no todas y cada una de sus conquistas— se mantiene viva, inventándose a cada instante.

LA OTRA ESCRITURA

La investigación sobre el poema, y sobre el espacio y el tiempo, que ha hecho prescindir a la poesía de Octavio Paz de los elementos referenciales, y que se ha manifestado ya en *Ladera Este* y *El mono gramático,* que absorben y asimilan la tradición oriental (lo mismo que sucede con *Renga*); esta poesía de Octavio Paz que se ha ido haciendo abstracta, pero que nunca ha perdido su conexión con las razones que rigen, o deben regir, el diálogo entre el hombre y el mundo; esta poesía de Paz que se ha ido convirtiendo en una pluralidad de voces, alcanza sus últimas consecuencias en esa aventura poética que es *Blanco,* el libro que el mismo escritor considera el más sugestivo de toda su obra.

Blanco es un poema cuyo tema es el lenguaje, pero el lenguaje es «un cuerpo que se fragmenta y se une»: el lenguaje se hace cuerpo, es ese cuerpo fragmentado y reunido, sucesivamente atraído por la analogía cósmica, que justificará la movilidad de los signos, la movilidad del espacio que los contiene. Por eso *Blanco* es un poema en movimiento, un poema que admite una serie de lecturas diferentes y complementarias, paralelas o simultáneas. La relación de los elementos de la escritura poética es exactamente igual a la existente entre los cuerpos en el abrazo erótico. Cada una de las partes se siente como un todo; el todo se dispersa en cada uno de los fragmentos, pero es que la recomposición de todos estos fragmentos dispersos derivará igualmente en la totalidad del texto. Nuevamente nos encontramos con ese erotismo trascendente de la obra de Paz, un erotismo que es el motor de la escritura, y no sólo la referencia temática. Erotismo que descubre las relaciones entre los signos, y los valores tradicionalmente ocultos por el monólogo anulador, por la imposibilidad del diálogo.

Blanco es una experiencia sobre la palabra poética, desde «lo en blanco» (el silencio anterior a la palabra misma) hasta «lo blanco» (el silencio que queda después de la palabra). El silencio adquiere, así, igual importancia que la palabra y que el sonido, una importancia totalizadora, porque mantiene una relación de alteridad que completa la visión y la lectura. Los elementos del poema se disponen de acuerdo con una distribución perfectamente pensada, matemáticamente concertada, como los elementos de una partitura musical. Esta partitura, esta distribución de signos se hace a través de cuatro variaciones sobre la sensación, la percepción, la imaginación y el entendimiento. Podríamos pensar que se trata de una experiencia final de todo el proceso anterior: empezando por una toma de contacto sensorial, y llegando a la comprensión y el entendimiento, después de haber pasado por la imaginación, por la capacidad transformadora y creadora. *Blanco* vuelve a reunir elementos esotéricos, sobre todo en lo que a distribución simultánea del tiempo se refiere (es una fluencia, una peregrinación ritual que se despliega progresivamente ante nuestros ojos, incluso en la disposición tipográfica del texto) y del espacio (se distribuyen las diferentes partes que componen el poema «como las regiones, los colores, los símbolos y las figuras de un mandala...»).

Octavio Paz, en su advertencia inicial, además, señala las diversas posibilidades de lectura que el poema permite, al tiempo que advierte cómo todas ellas se complementan, y mantienen una estrecha relación. *Blanco:* una experiencia con signos en movimiento, y con despliegue simultáneo del tiempo y del espacio correspondientes a esos signos y a ese movimiento. La construcción del poema se hace, como ya vimos en *Vrindaban,* por medio de dos caras independientes, pero simultáneas. Dos caras, dos poemas, dos textos diferentes que, sin embargo, son un solo texto; o que pueden leerse también como si el segundo de los textos fuesen cuatro textos separados, o dos. El poema es, por lo tanto, lo mismo cada una de las partes de la totalidad, que la totalidad formada por los dos elementos básicos, porque ya se cuida Octavio Paz de crear los canales de conexión que son una serie de rasgos no plenamente referenciales o significativos, pero que sí mantienen una estrecha vinculación y una coherente tensión de contrarios:

contemplada por mis oídos   *Horizonte de música tendida*
olida por mis ojos   *Puente colgante del color al aroma*
acariciada por mi olfato   *Olor desnudez en las manos del aire*
oída por mi lengua   *Cántico de los sabores*
comida por mi tacto   *Festín de niebla*
habitar tu nombre   *Despoblar tu cuerpo*
caer en tu grito contigo   *Casa del viento*

Nos encontramos ante un libro que mantiene ecos no muy lejanos de los logros de la poesía concreta, que desborda los avances de la poesía pura o el hermetismo y se sitúa en esa zona de expresividad alcanzada por la situación o disposición de los elementos del poema, por sus cualidades onomatopéyicas o por su capacidad de evocación o combinación, partiendo, precisamente, del poder de sugerencia que el grafismo posee. La mirada es, pues, fundamental en este poema. No se trata de una mirada que reduzca el pensamiento, sino que la mirada es la capacidad para captarlo en su totalidad: los signos se subordinan a ella. Y así, como escribe Octavio Paz, «el espacio fluye, engendra un texto, lo disipa, transcurre como si fuera tiempo». No hay tiempo y espacio como entidades diferenciadas, sino que todo se consuma en el espacio. Espacio en que se da una combinatoria de signos, una rotación constante de dispersiones y atracciones equivalentes a una rotación semántica.

Soy consciente de las limitaciones que el texto presenta de cara a un lector habitual de poesía. Pero me parece que el error consistiría en considerar las experiencias como definitivas, como modelos sobre los que actuar. La obra de Octavio Paz ha ido mostrándonos (y en esto sí que es ejemplar) que la poesía es algo más que la comunicación de una serie de experiencias, que no es únicamente la materialización literaria de lo que sucede en torno al escritor, sino que la gran conquista consiste en liberar al lenguaje de las fórmulas, y para ello el único camino eficaz es intentar una creación constante e instantánea del lenguaje, evitar su inclusión en un tiempo lineal, histórico, y que sólo discurra como consecuencia y reflejo de aquél. El lenguaje, entonces, será reflejo exacto de la capacidad de invención, de la libre capacidad de inspiración que permite al hombre ser sílaba, y no centro, del universo.

La comunicación con los lectores se va haciendo cada vez más difícil, más exasperante, pero podemos comprender por dónde van las intenciones de Octavio Paz cuando observamos que no se conforma con imitar y transcribir el habla común de los lectores, sino que pretende, y consigue, establecer un diálogo múltiple una vez que ha manifestado el vacío de la incongruencia e inútil repetición; pretende, y consigue ejercer, al tiempo que la creación de una palabra pura y original cada vez, una crítica de ese discurso.

En el caso de *Topoemas* las intenciones son otras.

Se trata de reducir a grafías, a signos tipográficos toda
la comunicación. Se trata también de un proceso de
concentración espacial que, sin embargo, y aquí reside lo interesante, Paz abandona una vez consumado, para investigar nuevamente el camino del discurso, un discurso que, sin embargo, ya tendrá una serie
de condicionantes que lo han separado del uso tradicional del mismo. *Topoemas* añade a los elementos
lingüísticos y verbales una serie de componentes visuales de significación propia, y de significación com-
plementaria de los primeros. El ideograma ya es la
escritura misma, y al fundir en él los dos sistemas de
señales (código lingüístico y código de señalamiento
gráfico) concentra y multiplica los sentidos, y al
tiempo concentra y multiplica las relaciones entre
ellos: significan por su situación concomitante, por su
coincidencia sonora o por su interrelación semántica.
Círculos, líneas, desarrollos invertidos o fusión y
dispersión silábica (y no me refiero únicamente a
sílabas gramaticales), son rasgos que modifican el
señalamiento habitual de la lengua, y de la lengua
poética en particular, y que —por supuesto— modifican las posibilidades de lectura una vez más. Es
imposible hacer otra cosa, ante los ideogramas de
Topoemas, que una referencia a sus posibilidades de
visualización; cualquier intento de crítica textual en el
sentido común del término no sería sino una pedante-
ría ridícula. El lector como mirador del texto es el
único capaz de desentrañar las capacidades que el
mismo encierra. De nuestras advertencias se acom-
pañe, o se libre definitivamente; que, a fin de cuentas,
será —pienso— lo más eficaz.

* * *

Las coordenadas en que se mueve la obra de Octavio Paz, como hemos visto, son bastante claras, a
pesar de que puedan ofrecer perfiles culturales algo
alejados de nuestra sensibilidad habitual. Pero lo

cierto es que todo su trabajo poético y crítico se inscribe, como hemos intentado demostrar, en un armazón bastante coherente y bastante racional, por mucho que Octavio Paz señale a la irracionalidad como motor de la concepción de su poesía.

Todo su entramado literario está planteado sobre la base de la analogía; una analogía que además de ser integral, y caracterizadora de las relaciones del mundo, es una analogía poética. La creación literaria es una traducción múltiple que nos lleva, como hemos visto, al desarrollo de una pluralidad de voces, a la anulación de la voz única del autor como productor del poema:

> Una pluralidad que se resuelve en lo siguiente: el verdadero autor de un poema no es ni el poeta ni el lector sino el lenguaje. No quiero decir que el lenguaje suprime la realidad del poeta y del lector, sino que las comprende, las engloba: el poeta y el lector no son sino dos momentos existenciales del lenguaje. Si es verdad que ellos se sirven del lenguaje para hablar, también lo es que el lenguaje habla a través de ellos. La idea del mundo como un texto en movimiento desemboca en la desaparición del texto único; la idea del poeta como un traductor o descifrador conduce a la desaparición del autor (27).

Si los planteamientos básicos de la poesía de Octavio Paz son éstos, no nos puede extrañar que la experiencia de la traducción no sea para él algo distinto de la experiencia poética. Es más, ya *Renga* suponía un intento de plasmación poética que simultaneara creación poética y traducción. La labor de traductor de Octavio Paz es abundante, y además, sus páginas teóricas sobre el particular nos iluminan muchas zonas que podían haber quedado diluidas en el contexto de la crítica y la creación poéticas propiamente dichas. Traducir para Octavio Paz es otra

forma de crear. No se trata simplemente de la tarea
que consiste en traspasar un texto de una lengua a
otra diferente, sino de experimentar con la sustancia
colectiva de la creación poética. Las lenguas no son
barreras para la creación; no hay literaturas nacionales encerradas en compartimentos estancos, hay literaturas de diferentes épocas, y todo lo que en ellas se
hace confluye en un mismo lenguaje que es perfectamente recuperable, perfectamente manejable. La literatura de Occidente ha sido producto de la confluencia de diferentes tradiciones que se han ido dando cita
en el conjunto:

> *Los estilos son colectivos y pasan de una lengua
> a otra; las obras, todas arraigadas a su suelo verbal,
> son únicas... Unicas pero aisladas: cada una de
> ellas nace y vive en relación con otras lenguas
> distintas. Así ni la pluralidad de lenguas ni la
> singularidad de las obras significa heterogeneidad
> irreductible o confusión, sino lo contrario: un
> mundo de relaciones hecho de contradicciones y
> correspondencias, uniones y separaciones* (28).

La traducción supone entonces otro modo de cons-
tatar las posibilidades de diálogo con otras civilizaciones a través de la analogía poética, a través de la
metáfora de metáforas que es esa lectura del mundo
que llamamos poesía. La traducción no es una trasla-
ción carente de sentido; es una trasmutación, una
interacción de los elementos a los que se suministra
siempre una nueva capacidad creadora. Volvemos
otra vez al ámbito de la creación original, de la
creación pura en el principio anterior a todo sistema y
a toda normativa. Por otra parte, la traducción plantea al escritor la posibilidad de encontrarse cara a
cara con el *otro;* se ha de enfrentar a ese *otro* y
respetar su entidad originaria, no disolverlo en la
nueva versión, pero es imprescindible que dé lugar al
nacimiento de un nuevo poema, tan válido como el

anterior, y entonces podremos ver la traducción como manifestación de esa totalidad en la que confluyen los contrarios sin anularse; totalidad que es producto del puente tendido por la palabra entre los contrarios, una manera de escribir la metáfora del mundo, el diálogo entre el hombre y el mundo. Conciencia de la existencia de *lo otro,* pero también conciencia de la existencia de *otros.* Una vez más la idea de hombre como unidad de medida de todas las cosas desaparece para dejar paso al concierto de voces diferentes que forman la totalidad cuyo ritmo armónico rige al mundo.

Del resultado de todo este trabajo, el escritor, el traductor (el poeta, que eso es el traductor de poesía) se encuentra con la lengua que habla enfrentada a otra, y tiene la facultad de plantearse ante ella todas las dudas que, inmersos en la rutina unilateral, no suelen plantearse. Traducir como experiencia crítica frente al lenguaje: se exige un distanciamiento, y ese distanciamiento ofrece una visión analítica de la lengua receptora, contemplada con una profundidad y atención desusadas. Porque el hecho de la traducción no consiste en someter el original a la lengua que lo recibe, sino que se trata de destruir la seguridad unitaria, el hermetismo de cada una de las lenguas, y mostrar las posibilidades de la colectividad de la creación a la luz de un estímulo que viene de otro, de los otros. La traducción por tanto no reduce el original a la unidad, sino que reafirma la presencia de las singularidades:

Cada texto es único y, simultáneamente, es la traducción de otro texto. Ningún texto es enteramente original porque el lenguaje mismo, en su esencia, es ya traducción: primero, del mundo no-verbal y, después, porque cada signo y cada frase es la traducción de otro signo y de otra frase. Pero este razonamiento puede invertirse sin pensar validez: todos los textos son originales porque cada traducción es distinta. Cada traducción es, hasta cierto punto, una invención y así constituye un texto único (29).

En suma, Octavio Paz concluye que la traducción es una actividad poética, pero a la inversa. Es una actividad técnica, un trabajo de industria verbal, pero también es un trabajo en el que interviene el proceso literario. De una parte, el texto original jamás reaparece (metonimia); de otra, el texto original está presente siempre (metáfora), «porque la traducción, sin decirlo, lo menciona constantemente o lo convierte en un objeto verbal que, aunque distinto, lo reproduce». El trabajo del traductor consistirá en poner otra vez en circulación, en dispersar, los signos que el poeta fijó en la página (aunque esa fijación implicase una multiplicación de sentidos, ésas y no otras palabras son las únicas que podrían expresar o evocar esos sentidos). Es la misma posición que adoptaría el lector o el crítico: descomposición del texto, dispersión del mismo. Pero en una segunda etapa, el traductor ha de volver a construir el poema, el nuevo poema, y ésta es ya una actividad poética. Lo que sucede es que, mientras el poeta avanza hacia un destino *blanco,* hacia un objetivo que desconoce, el traductor sabe en todo momento hacia dónde lo llevará la búsqueda de signos y correspondencias.

Los flancos que cubre la obra literaria de Octavio Paz son, aparentemente dispersos y heterogéneos, pero apenas nos fijemos podemos comprobar que el desarrollo de cada una de esas facetas (crítica, poesía, traducción) no es otra cosa que la puesta en práctica, y de forma coherente, de todas y cada una de las convicciones sobre las cuales se asienta su trabajo. Un trabajo que es más una iluminación sobre la labor del creador, sobre los instrumentos que maneja, que un modelo único al que aceptar como referencia única. Su constante interrogación sobre las limitaciones del lenguaje, sobre las limitaciones de la cultura, lo

han llevado a intentar encerrar en una relación analógica y armónica constante las diferentes actitudes
culturales del mundo. La obra de Octavio Paz no se
contenta con investigar los problemas del castellano,
sino que ha ido siempre más allá, y esa búsqueda
constante ha permitido que la veamos hoy aún como
una obra en marcha. Los aspectos aquí recogidos no
quieren ser sino una aproximación, bien que limitada,
sobre las interesantes vislumbres que nos ofrece.
Pretender otra cosa, en un trabajo como éste condicionado a una estructura determinada, sería descabe-
llado; máxime cuando se trata de una obra que aún
puede descubrirnos interesantes facetas, que —en su
momento— sería muy importante volver a estudiar.
Quede, pues, este libro también, abierto a una posible
continuidad.

*La Laguna (Tenerife) Burgo de Osma (Soria) Verano
de 1975.*

habiéndose obtenido el control en una relación amplia-
eta y armónica constante las diferentes acidulges
culturales del mundo. La ayuda Octavio Paz no se
contenta con descubrir los problemas del castellano,
sino que ha ido si no más allá y un disgusto
constante ha producido que a vender los supuesto
una obra en marcha. Por aspecto aquí reconocen no
quieren establecer una inmediato bien que unidad
sobre los aspectos cambiantes que nos ofrece
diversos a través en la trayectoria entre varas ob-
jetando a una revisión de la fundamentación y no
puede dejarse sentir en esto que pasa que con su
momento hasta poder practicar saber a estudiar
Puede ser se bien darían solverse y un público
con razón.

1 — Escondida sobre la vida ejemplar (San., Madrid
d., 1971

ANTOLOGIA

Allá, donde terminan las fronteras, los caminos se borran. Donde empieza el silencio. Avanzo lentamente y pueblo la noche de estrellas, de palabras, de la respiración de un agua remota que me espera donde comienza el alba.

Invento la víspera, la noche, el día siguiente que se levanta en su lecho de piedra y recorre con ojos límpidos un mundo penosamente soñado. Sostengo al árbol, a la nube, a la roca, al mar, presentimiento de dicha, invenciones que desfallecen y vacilan frente a la luz que disgrega.

Y luego la sierra árida, el caserío de adobe, la minuciosa realidad de un charco y un pirú estólido, de unos niños idiotas que me apedrean, de un pueblo rencoroso que me señala. Invento el terror, la esperanza, el mediodía —padre de los delirios solares, de las falacias espejeantes, de las mujeres que castran a sus amantes de una hora.

Invento la quemadura y el aullido, la masturbación en las letrinas, las visiones en el muladar, la prisión, el piojo y el chancro, la pelea por la sopa, la delación, los animales viscosos, los contactos innobles, los interrogatorios nocturnos, el examen de concien-

cia, el juez, la víctima, el testigo. Tú eres esos tres. ¿A quién apelar ahora y con qué argucias destruir al que te acusa? Inútiles los memoriales, los ayes y los alegatos. Inútil tocar a puertas condenadas. No hay puertas, hay espejos. Inútil cerrar los ojos o volver entre los hombres: esta lucidez ya no me abandona. Romperé los espejos, haré trizas mi imagen —que cada mañana rehace piadosamente mi cómplice, mi delator. La soledad de la conciencia y la conciencia de la soledad, el día a pan y agua, la noche sin agua. Sequía, campo arrasado por un sol sin párpados, ojo atroz, oh conciencia, presente puro donde pasado y porvenir arden sin fulgor ni esperanza. Todo desemboca en esta eternidad que no desemboca.

Allá, donde los caminos se borran, donde acaba el silencio, invento la desesperación, la mente que me concibe, la mano que me dibuja, el ojo que me descubre. Invento al amigo que me inventa, mi semejante; a la mujer, mi contrario: torre que corono de banderas, muralla que escalan mis espumas, ciudad devastada que renace lentamente bajo la dominación de mis ojos.

Contra el silencio y el bullicio invento la Palabra, libertad que se inventa y me inventa cada día.

LAS PALABRAS

Dales la vuelta,
cógelas del rabo (chillen, putas),
azótalas,
dales azúcar en la boca a las rejegas,
ínflalas, globos, pínchalas,
sórbeles sangre y tuétanos,
sécalas,
cápalas,

písalas, gallo galante,
tuérceles el gaznate, cocinero,
desplúmalas,
destrípalas, toro,
buey, arrástralas,
hazlas, poeta,
haz que se traguen todas sus palabras.

EL PRISIONERO
(Homenaje a D.A.F. de Sade)

*afin que... les traces de ma tombe disparais-
sent de dessus la surface de la terre comme je
me flatte que ma mémoire s'effacera de l'esprit
des hommes...*

Testamento de Sade

No te has desvanecido.
Las letras de tu nombre son todavía una cicatriz que
no se cierra,
un tatuaje de infamia sobre ciertas frentes.
Cometa de pesada y rutilante cola dialéctica,
atraviesas el siglo diecinueve con una granada de
verdad en la mano
y estallas al llegar a nuestra época.

Máscara que sonríe bajo un antifaz rosa.
hecho de párpados de ajusticiado,
verdad partida en mil pedazos de fuego,
¿qué quieren decir todos esos fragmentos gigantes-
cos,
esa manada de icebergs que zarpan de tu pluma y en
alta mar enfilan hacia costas sin nombre,
esos delicados instrumentos de cirugía para extirpar
el chancro
esos aullidos que interrumpen tus majestuosos razo-
namientos de elefante,

esas repeticiones atroces de relojería descompuesta,
toda esa oxidada herramienta de tortura?

El erudito y el poeta,
el sabio, el literato, el enamorado,
el maníaco y el que sueña en la abolición de nuestra
siniestra realidad,
disputan como perros sobre los restos de tu obra.
Tú, que estabas contra todos,
eres ahora un hombre, un jefe, una bandera.

Inclinado sobre la vida como Saturno sobre sus hijos,
recorres con fija mirada amorosa
los surcos calcinados que dejan el semen, la sangre y
la lava.
Los cuerpos, frente a frente como astros feroces,
están hechos de la misma sustancia de los soles.
Lo que llamamos amor o muerte, libertad o destino,
¿no se llama catástrofe, no se llama hecatombe?
¿Dónde están las fronteras entre espasmo y terre-
moto,
entre erupción y cohabitación?

Prisionero en tu castillo de cristal de roca
cruzas galerías, cámaras, mazmorras,
vastos patios donde la vid se enrosca a columnas
solares,
graciosos cementerios donde danzan los chopos in-
móviles.
Muros, objetos, cuerpos te repiten.
¡Todo es espejo!
Tu imagen te persigue.

El hombre está habitado por silencio y vacío.
¿Cómo saciar esta hambre,
cómo acallar y poblar su vacío?
¿Cómo escapar a mi imagen? Sólo en mi semejante
me trasciendo,
sólo su sangre da fe a otra existencia.

Justina sólo vive por Julieta,
las víctimas engendran los verdugos.
El cuerpo que hoy sacrificamos
¿no es el Dios que mañana sacrifica?
La imaginación es la espuela del deseo,
su reino es inagotable e infinito como el fastidio,
su reverso y gemelo.
Muerte o placer, inundación o vómito,
otoño parecido al caer de los días,
volcán o sexo,
soplo, verano que incendia las cosechas,
astros o colmillos,
petrificada cabellera del espanto,
espuma roja del deseo, matanza en alta mar,
rocas azules del delirio,
formas, imágenes, burbujas, hambre de ser,
eternidades momentáneas,
desmesuras: tu medida de hombre.
Atrévete:
la libertad es la elección de la necesidad.
Sé el arco y la flecha, la cuerda y el ay.
El sueño es explosivo. Estalla. Vuelve a ser sol.

En tu castillo de diamante tu imagen se destroza y se
rehace, infatigable.

MAS ALLA DEL AMOR

Todo nos amenaza:
el tiempo, que en vivientes fragmentos divide
al que fui
            del que seré,
como el machete a la culebra;
la conciencia, la transparencia traspasada,
la mirada ciega de mirarse mirar;
las palabras, guantes grises, polvo mental sobre la
yerba, el agua, la piel;
nuestros nombres, que entre tú y yo se levantan,

murallas de vacío que ninguna trompeta derrumba.
Ni el sueño y su pueblo de imágenes rotas,
ni el delirio y su espuma profética,
ni el amor con sus dientes y uñas nos bastan.
Más allá de nosotros,
en las fronteras del ser y el estar,
una vida más vida nos reclama.
Afuera la noche respira, se extiende,
llena de grandes hojas calientes,
de espejos que combaten:
frutos, garras, ojos, follajes,
espaldas que relucen,
cuerpos que se abren paso entre otros cuerpos.
Tiéndete aquí a la orilla de tanta espuma,
de tanta vida que se ignora y entrega:
tú también perteneces a la noche.
Extiéndete, blancura que respira,
late, oh estrella repartida,
copa,
pan que inclinas la balanza del lado de la aurora,
pausa de sangre entre este tiempo y otro sin medida.

PAISAJE

Los insectos atareados,
los caballos color de sol,
los burros color de nube,
las nubes, rocas enormes que no pesan,
los montes como cielos desplomados,
la manada de árboles bebiendo en el arroyo,
todos están ahí, dichosos en su estar,
frente a nosotros que no estamos,
comidos por la rabia, por el odio,
por el amor comidos, por la muerte.

Hace años, con piedrecitas, basuras y yerbas, edifiqué Tilantlán. Recuerdo la muralla, las puertas amarillas con el signo digital, las calles estrechas y malolientes que habitaba una plebe ruidosa, el verde Palacio del Gobierno y la roja Casa de los Sacrificios, abierta como una mano, con sus cinco grandes templos y sus calzadas innumerables. Tilantlán, ciudad gris al pie de la piedra blanca, ciudad agarrada al suelo con uñas y dientes, ciudad de polvo y plegarias. Sus moradores —astutos ceremoniosos y coléricos— adoraban a las Manos, que los habían hecho, pero temían a los Pies, que podrían destruirlos. Su teología, y los renovados sacrificios con que intentaron comprar el amor de las Primeras y asegurarse la benevolencia de los Ultimos, no evitaron que una alegre mañana mi pie derecho los aplastara, con su historia, su aristocracia feroz, sus motines, su lenguaje sagrado, sus canciones populares y su teatro ritual. Y sus sacerdotes jamás sospecharon que Pies y Manos no eran sino las extremidades de un mismo dios.

LLANO

El hormiguero hace erupción. La herida abierta borbotea, espumea, se expande, se contrae. El sol a estas horas no deja nunca de bombear sangre, con las sienes hinchadas, la cara roja. Un niño —ignorante de que en un recodo de la pubertad lo esperan unas fiebres y un problema de conciencia— coloca con cuidado una piedrecita en la boca despellejada del hormiguero. El sol hunde sus picas en las jorobas del llano, humilla promontorios de basura. Resplandor desenvainado, los reflejos de una lata vacía —erguida sobre una pirámide de piltrafas— acuchillan todos los puntos del espacio. Los niños buscadores de tesoros y los perros sin dueño escarban en el amarillo esplendor del pudridero. A trescientos metros la iglesia de San Lorenzo llama a misa de doce. Adentro, en el altar de la derecha, hay un santo pintado de azul y rosa. De su ojo izquierdo brota un enjambre de insectos de alas grises, que vuelan en línea recta hacia la cúpula y caen, hechos polvo, silencioso derrumbre de armaduras tocadas por la mano del sol. Silban las sirenas de las torres de las fábricas. Falos decapitados. Un pájaro vestido de negro vuela en círculos y se posa en el único árbol vivo del llano. Después... No hay después. Avanzo, perforo grandes rocas de años, grandes masas de luz compacta, desciendo galerías de minas de arena, atravieso corredores que se cierran como labios de granito. Y vuelvo al llano, al llano donde siempre es mediodía, donde un sol idéntico cae fijamente sobre un paisaje detenido. Y no acaban de caer las doce campanadas, ni de zumbar las moscas, ni de estallar en astillas este minuto que no pasa, que sólo arde y no pasa.

HACIA EL POEMA

(Puntos de partida)

I

Palabras, ganancias de un cuarto de hora arrancado al árbol calcinado del lenguaje, entre los buenos días y las buenas noches, puertas de entrada y salida y entrada de un corredor que va de ninguna-parte a ningún-lado.

Damos vueltas y vueltas en el vientre animal, en el vientre mineral, en el vientre temporal. Encontrar la salida: el poema.

Obstinación de ese rostro donde se quiebran mis miradas. Frente armada, invicta ante un paisaje en ruinas, tras el asalto al secreto. Melancolía de volcán.

La benévola jeta de piedra de cartón del Jefe, del Conductor, fetiche del siglo; los yo, tú, él, tejedores de telarañas, pronombres armados de uñas; las divinidades sin rostro, abstractas. El y nosotros, Nosotros y El: nadie y ninguno. Dios padre se venga en todos estos ídolos.

El instante se congela, blancura compacta que ciega y no responde y se desvanece, témpano empujado por corrientes circulares. Ha de volver.

Arrancar las máscaras de la fantasía, clavar una pica en el centro sensible: provocar la erupción.

Cortar el cordón umbilical, matar bien a la Madre: crimen que el poeta moderno cometió por todos, en nombre de todos. Toca al nuevo poeta descubrir a la Mujer.

Hablar por hablar, arrancar sones a la desesperada, escribir al dictado lo que dice el vuelo de la mosca, ennegrecer. El tiempo se abre en dos: hora del salto mortal.

II

Palabras, frases, sílabas, astros que giran alrededor de un centro fijo. Dos cuerpos, muchos seres que se encuentran en una palabra. El papel se cubre de letras indelebles, que nadie dijo, que nadie dictó, que han caído allí y arden y queman y se apagan. Así pues, existe la poesía, el amor existe. Y si yo no existo, existes tú.

Por todas partes los solitarios forzados empiezan a crear las palabras del nuevo diálogo.

El chorro de agua. La bocanada de salud. Una muchacha reclinada sobre su pasado. El vino, el

*fuego, la guitarra, la sobremesa. Un muro de tercio-
pelo rojo en una plaza de pueblo. Las aclamaciones,
la caballería reluciente entrando a la ciudad, el pueblo en vilo: ¡himnos! La irrupción de lo blanco, de lo
verde, de lo llameante. Lo demasiado fácil, lo que se
escribe solo: la poesía.*

*El poema prepara un orden amoroso. Preveo un
hombre-sol y una mujer-luna, el uno libre de su
poder, la otra libre de su esclavitud, y amores impla-
cables rayando el espacio negro. Todo ha de ceder a
esas águilas incandescentes.*

*Por las almenas de tu frente el canto alborea. La
justicia poética incendia campos de oprobio: no hay
sitio para la nostalgia, el yo, el nombre propio.*

Todo poema se cumple a expensas del poeta.

*Mediodía futuro, árbol inmenso de follaje invisible.
En las plazas cantan los hombres y las mujeres el
canto solar, surtidor de transparencias. Me cubren la
marejada amarilla: nada mío ha de hablar por mi
boca.*

*Cuando la Historia duerme, habla en sueños: en la
frente del pueblo dormido el poema es una constela-
ción de sangre. Cuando la Historia despierta, la
imagen se hace acto, acontece el poema: la poesía
entre en acción.*

Merece lo que sueñas.

HIMNO ENTRE RUINAS

donde espumoso el mar siciliano...
Góngora

Coronado de sí el día extiende sus plumas.
¡Alto grito amarillo,
caliente surtidor en el centro de un cielo
imparcial y benéfico!
Las apariencias son hermosas en esta su verdad momentánea.
El mar trepa la costa,
se afianza entre las peñas, araña deslumbrante;
la herida cárdena del monte resplandece;
un puñado de cabras es un rebaño de piedras;
el sol pone su huevo de oro y se derrama sobre el mar.
Todo es dios.
¡Estatua rota,
columnas comidas por la luz,
ruinas vivas en un mundo de muertos en vida!

Cae la noche sobre Teotihuacán.
En lo alto de la pirámide los muchachos fuman marihuana,
suenan guitarras roncas.
¿Que yerba, qué agua de vida ha de darnos la vida,
dónde desenterrar la palabra,
la proporción que rige al himno y al discurso,
al baile, a la ciudad y a la balanza?
El canto mexicano estalla en un carajo,
estrella de colores que se apaga,
piedra que nos cierra las puertas del contacto
Sabe la tierra a tierra envejecida.

Los ojos ven, las manos tocan.
Bastan aquí unas cuantas cosas:
tuna, espinoso planeta coral,
higos encapuchados,

uvas con gusto a resurrección,
almejas, virginidades ariscas,
sal, queso, vino, pan solar.
Desde lo alto de su morenía una isleña me mira,
esbelta catedral vestida de luz.
Torres de sal, contra los pinos verdes de la orilla
surgen las velas blancas de las barcas.
La luz crea templos en el mar.

Nueva York, Londres, Moscú.
La sombra cubre al llano con su yedra fantasma,
con su vacilante vegetación de escalofrío,
su vello ralo, su tropel de ratas,
A trechos tirita un sol anémico.
Acodado en montes que ayer fueron ciudades, Poli-
femo bosteza.
Abajo, entre los hoyos, se arrastra un rebaño de
hombres.
(Bípedos doméstidos, su carne
—a pesar de recientes interdicciones religiosas—
es muy gustada por las clases ricas.
Hasta hace poco el vulgo los consideraba animales
impuros.)

Ver, tocar formas hermosas, diarias.
Zumba la luz, dardos y alas.
Huele a sangre la mancha de vino en el mantel.
Como el coral sus ramas en el agua
extiendo mis sentidos en la hora viva:
el instante se cumple en una concordancia amarilla,
¡oh mediodía, espiga henchida de minutos,
copa de eternidad!

Mis pensamientos se bifurcan, serpean, se enredan,
recomienzan,
y al fin se inmovilizan, ríos que no desembocan, delta
de sangre bajo un sol sin crepúsculo.
¿Y todo ha de parar en este chapoteo de aguas
muertas?

¡Día, redondo día,
luminosa naranja de veinticuatro gajos,
todos atravesados por una misma y amarilla dulzura!
La inteligencia al fin encarna,
se reconcilian las dos mitades enemigas
y la conciencia-espejo se licúa,
vuelve a ser fuente, manantial de fábulas:
Hombre, árbol de imágenes,
palabras que son flores que son frutos que son actos.

PIEDRA DEL SOL

(fragmento)

todo se transfigura y es sagrado,
es el centro del mundo cada cuarto,
es la primera noche, el primer día,
el mundo nace cuando dos se besan,
gota de luz de entrañas transparentes
el cuarto como un fruto se entreabre
o estalla como un astro taciturno
y las leyes comidas de ratones,
las rejas de los bancos y las cárceles,
las rejas de papel, las alambradas,
los timbres y las púas y los pinchos,
el sermón monocorde de las armas,
el escorpión meloso y con bonete,
el tigre con chistera, presidente
del Club Vegetariano y la Cruz Roja,
el burro pedagogo, el cocodrilo
metido a redentor, padre de pueblos,
el Jefe, el tiburón, el arquitecto
del porvenir, el cerdo uniformado,
el hijo predilecto de la Iglesia
que se lava la negra dentadura
con el agua bendita y toma clases
de inglés y democracia, las paredes
invisibles, las máscaras podridas

que dividen al hombre de los hombres,
al hombre de sí mismo,
                    se derrumban
por un instante inmenso y vislumbramos
nuestra unidad perdida, el desamparo
que es ser hombres, la gloria que es ser hombres
y compartir el pan, el sol, la muerte,
el olvidado asombro de estar vivos;

amar es combatir, si dos se besan
el mundo cambia, encarnan los deseos,
el pensamiento encarna, brotan alas
en las espaldas del esclavo, el mundo
es real y tangible, el vino es vino
el pan vuelve a saber, el agua es agua,
amar es combatir, es abrir puertas,
dejar de ser fantasma con un número
a perpetua cadena condenado
por un amo sin rostro;
                    el mundo cambia
si dos se miran y se reconocen,
amar es desnudarse de los nombres:
«déjame ser tu puta», son palabras
de Eloísa, más él cedió a las leyes,
la tomó por esposa y como premio
lo castraron después;

LA PALABRA ESCRITA

Ya escrita la primera
Palabra (nunca la pensada
Sino la otra —ésta
Que no la dice, que la contradice,
Que sin decirla está diciéndola)
Ya escrita la primera
Palabra (uno, dos tres—
Arriba el sol, tu cara
En el centro del pozo,

Fija como un sol atónito)
Ya escrita la primera
Palabra (cuatro, cinco—
No acaba de caer la piedrecilla,
Mira tu cara mientras cae, cuenta
La cuenta vertical de la caída)
Ya escrita la primera
Palabra (hay otra, abajo,
No la que está cayendo,
La que sostiene el rostro, al sol, al tiempo
Sobre el abismo: la palabra
Antes de la caída y de la cuenta)
Ya escrita la primera
Palabra (dos, tres, cuatro—
Verás tu rostro roto,
Verás un sol que se dispersa,
Verás la piedra entre las aguas rotas,
Verás el mismo rostro, el mismo sol,
Fijo sobre las mismas aguas)
Ya escrita la primera
Palabra (sigue,
No hay más palabras que las de la cuenta)

LA PALABRA DICHA

La palabra se levanta
De la página escrita.
La palabra,
Labrada estalactita,
Grabada columna
Una a una letra a letra.
El eco se congela
En la página pétrea.

Ánima,
Blanca como la página,
Se levanta la palabra.
Anda

Sobre un hilo tendido
Del silencio al grito,
Sobre el filo
Del decir estricto.
El oído: nido
O laberinto del sonido.
Lo que dice no dice
Lo que dice: ¿como se dice
Lo que no dice?
                    Dí
Tal vez es bestial la vestal.
Un grito
En un crater extinto:
En otra galaxia
¿Cómo se dice ataraxia?
Lo que se dice se dice
Al derecho y al revés.
Lamenta la mente
De menta demente:
Cementerio es sementero,
Simiente no miente.

Laberinto del oído,
Lo que dices se desdice
Del silencio al grito
Desoído.

Inocencia y no ciencia:
Para hablar aprender a callar.

HOMENAJE Y PROFANACIONES

AMOR CONSTANTE MAS ALLA DE LA MUERTE

Cerrar podrá mis ojos la postrera
sombra que me llevare el blanco día,

y podrá desatar esta alma mía
hora a su afán ansioso lisonjera;

mas no desotra parte en la ribera
dejará la memoria en donde ardía;
nadar sabrá mi llama la agua fría,
y perder el respeto a la ley severa.

Alma a quien todo un Dios prisión ha sido,
venas que humor a tanto fuego han dado,
medulas que han gloriosamente ardido:

su cuerpo dejarán, no su cuidado;
serán ceniza, mas tendrán sentido;
polvo serán, mas polvo enamorado.

FRANCISCO DE QUEVEDO

ASPIRACION

1

Sombras del día blanco
Contra mis ojos. Yo no veo
Nada sino lo blanco.
La hora en blanco. El alma
Desatada del ansia y de la hora.

Blancura de aguas muertas,
Hora blanca, ceguera de los ojos abiertos.
Frota tu pedernal, arde, memoria,
Contra la hora y su resaca,
Memoria, llama nadadora.

2

Desatado del cuerpo, desatado
Del ansia, vuelvo al ansia, vuelvo
A la memoria de tu cuerpo. Vuelvo.

Y arde tu cuerpo en mi memoria,
Arde en tu cuerpo mi memoria.

Cuerpo de un Dios que fue cuerpo abrasado,
Dios que fue cuerpo y fue cuerpo endiosado
Y es hoy tan sólo la memoria
De un cuerpo desatado de otro cuerpo:
Tu cuerpo es la memoria de mis huesos.

3

Sombra del sol Solombra segadora
Ciega mis manantiales trasojados
El nudo desanuda siega el ansia
Apaga el ánima desanimada

Mas la memoria desmembrada nada
Desde los nacederos de su nada
Los manantiales de su nacimiento
Nada contracorriente y mandamiento

Nada contra la nada
                    Ardor del agua
Lengua de fuego fosforece el agua
Pentecostés palabra sin palabras

Sentido sin sentido No pensado
Pensar que transfigura la memoria
El resto es un manojo de centellas

ESPIRACION

1

Cielos de fin de mundo. Son las cinco.
Sombras blancas: ¿son voces o son pájaros?
Contra mi sien, latidos de motores.
Tiempo de luz: memoria, torre hendida,

Pausa vacía entre dos claridades.

Todas sus piedras vueltas pensamiento
La ciudad se desprende de sí misma.
Descarnación. El mundo no es visible.
Se lo comió la luz. ¿En tu memoria
Serán mis huesos tiempo incandescente?

2

Vana conversación del esqueleto
Con el fuego insensato y con el agua
Que no tiene memoria y con el viento
Que todo lo confunde y con la tierra
Que se calla y se come sus palabras:

Mi suma es lo que resta, tu escritura:
la huella de los dientes de la vida,
El sello de los ayes y los años,
El trazo negro de la quemadura
Del amor en lo blanco de los huesos.

3

Sol de sombra Solombra cegadora
Mis ojos han de ver lo nunca visto
Lo que miraron sin mirarlo nunca
El revés de lo visto y de la vista

Los laúdes del laúdano de loas
Dilapidadas lápidas y laudos
La piedad de la piedra despiadada
Las velas del velorio y del jolgorio
El entierro es barroco todavía
En México
                Morir es todavía
Morirse de repente en cualquier parte

Lo nunca visto nunca dicho nunca

Es lo ya dicho el nunca del retruécano
Vivo me ves y muerto no has de verme

LAUDA

1

ojos medulas sombras blanco día
ansias afán lisonjas horas cuerpos
memoria todo Dios ardiendo todos
polvo de los sentidos sin sentido
ceniza lo sentido y el sentido

Este cuarto, esta cama, el sol del broche,
Su caída de fruto, los dos ojos,
La llamada al vacío, la fijeza,
Los dos ojos feroces, los dos ojos
Atónitos, los dos ojos vacíos,
La no vista presencia presentida,
La visión sin visiones entrevista,
Los dos ojos cubriéndose de hormigas,
¿Pasan aquí, suceden hoy? Son hoy,
Pasan allá, su aquí es allá, sin fecha.
Itálica famosa madriguera de ratas
Y lugares comunes, muladar de motores,
Vívoras en Uxmal anacoretas,
Emporio de centollas o imperio de los pólipos
Sobre los lomos del acorazado,
Dédalos, catedrales, bicicletas,
Dioses descalabrados, invenciones
De ayer o del decrépido mañana,
Basureros: no tiene edad la vida,
Volvió a ser árbol la columna Dafne.

2

Entre la vida inmortal de la vida
Y la muerte inmortal de la historia

Hoy es cualquier día
En un cuarto cualquiera
Festín de dos cuerpos a solas
Fiesta de ignorancia saber de presencia
Hoy (conjunción señalada
Y abrazo precario)
Esculpimos un Dios instantáneo
Tallamos el vértigo

Fuera de mi cuerpo
En tu cuerpo fuera de tu cuerpo
En otro cuerpo
Cuerpo a cuerpo creado
Por tu cuerpo y mi cuerpo
Nos buscamos perdidos
Dentro de ese cuerpo instantáneo
Nos perdemos buscando
Todo un Dios todo cuerpo y sentido
Otro cuerpo perdido

Olfato gusto vista oído tacto
El sentido anegado en lo sentido
Los cuerpos abolidos en el cuerpo
Memorias desmemorias de haber sido
Antes después ahora nunca siempre

GOLDEN LOTUS

1

No brasa
            Ni chorro de jerez:
La descarga del gimnoto
O, más bien, el chasquido
De la seda
            Al rasgarse.

2

En su tocador,
Alveolo cristalino,
Duermen todos los objetos
Menos las tijeras.

3

A mitad de la noche
Vierte,
     En el oído de sus amantes,
Tres gotas de luz fría.

4

Se desliza, amarilla y eléctrica,
Por la piscina del *hall*.
           Después, quieta
Brilla,
    Estupida como piedra preciosa.

VIENTO ENTERO

El presente es perpetuo
Los montes son de hueso y son de nieve
Están aquí desde el principio
El viento acaba de nacer
               Sin edad
como la luz y como el polvo
                    Molino de sonidos
El bazar tornasolea
              Timbres motores radios
El trote pétreo de los asnos opacos
Cantos y quejas enredados
Entre las barbas de los comerciantes
Alto fulgor a martillazos esculpido
En los claros de silencio

                    Estallan
Los gritos de los niños
                    Príncipes en harapos
A la orilla del río atormentado
Rezan orinan meditan
                    El presente es perpetuo
Se abren las compuertas del año
                    El día salta
Agata
      El pájaro caído
Entre la calle Montalembert y la du Bac
Es una muchacha
                    Detenida
Sobre un precipicio de miradas
Si el agua es fuego
                    Llama
En el centro de la hora redonda
                    Encandilada
Potranca alazana
Un haz de chispas
                    Una muchacha real
Entre las casas y las gentes espectrales
Presencia chorro de evidencias
Yo vi a través de mis actos irreales
La tomé de la mano
                    Juntos atravesamos
Los cuatro espacios los tres tiempos
Pueblos errantes de reflejos
Y volvimos al día del comienzo
El presente es perpetuo
                    21 de junio
Hoy comienza el verano
                    Dos o tres pájaros
Inventan un jardín
                    Tú lees y comes un durazno
Sobre la colcha roja
                    Desnuda
Como el vino en el cántaro de vidrio
                    Un gran vuelo de cuervos

En Santo Domingo mueren nuestros hermanos
Si hubiera parque no estarían ustedes aquí
                    Nosotros nos roemos los codos

En los jardines de su alcázar de estío
Tipú Sultán plantó el árbol de los jacobinos
Luego distribuyó pedazos de vidrio
Entre los oficiales ingleses prisioneros
Y ordenó que se cortasen el prepucio
Y se lo comiesen
                    El siglo
Se ha encendido en nuestras tierras
Con su lumbre
                    Las manos abrasadas
Los constructores de catedrales y pirámides
Levantarán sus casas transparentes
                            El presente es perpetuo

El sol se ha dormido entre tus pechos
La colcha roja es negra y palpita
Ni astro ni alhaja
                    Fruta
Tú te llamas dátil
                    Datia
Castillo de sal si puedes
                        Mancha escarlata
Sobre la piedra empedernida
Galerías terrazas escaleras
Desmanteladas salas nupciales
Del escorpión
                    Ecos repeticiones
Relojería erótica
                    Deshora
                        Tú recorres
Los patios taciturnos bajo la tarde impía
Manto de agujas en tus hombros indemnes
Si el fuego es agua
                        Eres una gota diáfana
La muchacha real

Transparencia del mundo
El presente es perpetuo
                    Los montes
        Soles destazados
Petrificada tempestad ocre
                        El viento rasga
            Ver duele
El cielo es otro abismo más alto
Garganta de Salang
La nube negra sobre la roca negra
El puño de la sangre golpea
                        Puertas de piedra
Sólo el agua es humana
En estas soledades despeñadas
Sólo tus ojos de agua humana
                        Abajo
En el espacio hendido
El deseo te cubre con sus dos alas negras
Tus ojos se abren y se cierran
                        Animales fosforescentes
Abajo
        El desfiladero caliente
La ola que se dilata y se rompe

                            Tus piernas abiertas
El salto blanco
La espuma de nuestros cuerpos abandonados
                        El presente es perpetuo

El morabito regaba la tumba del santo
Sus barbas eran más blancas que las nubes
Frente al moral
                Al flanco del torrente
Repetiste mi nombre
                    Dispersión de sílabas
Un adolescente de ojos verdes te regaló
Una granada
                Al otro lado del Amu-Darya
Humeaban las casitas rusas

El son de la flauta usbek
Era otro río invisible y más puro
En la barcaza del batelero estrangulaba pollos
El país es una mano abierta
                              Sus líneas
Signos de un alfabeto roto
Osamentas de vacas en el llano
Bactriana
            Estatua pulverizada
Yo recogí del polvo unos cuantos nombres
Por esas sílabas caídas
Granos de una granada cenicienta
Juro ser tierra y viento
                              Remolino
Sobre tus huesos
                    El presente es perpetuo
La noche entra con todos sus árboles
Noche de insectos eléctricos y fieras de seda
Noche de yerbas que andan sobre los muertos
Conjugación de aguas que viene de lejos
Murmullos
            Los universos se desgranan
Un mundo cae
                    Se enciende una semilla
Cada palabra palpita
                        Oigo tu latir en la sombra
Enigma en forma de reloj de arena
                              Mujer dormida
Espacio espacios animados
Anima mundi
            Materia maternal
Perpetua desterrada de sí misma
Y caída perpetua en su entraña vacía
                              Anima mundi
Madre de las razas errantes
                        De soles y de hombres
Emigran los espacios
                    El presente es perpetuo
En el pico del mundo se acarician

Shiva y Parvati
        Cada caricia dura un siglo
Para el dios y para el hombre
                Un mismo tiempo
Un mismo despeñarse
        Lahor
            Río rojo barcas negras
Entre dos tamarindos una niña descalza
Y su mirar sin tiempo
         Un latido idéntico
Muerte y nacimiento
Entre el cielo y la tierra suspendidos
Unos cuantos álamos
Vibran de luz más que vaivén de hojas
            ¿Suben o bajan?
El presente es perpetuo
        Llueve sobre mi infancia
Llueve sobre el jardín de la fiebre
Flores de sílex árboles de humo
En una hoja de higuera tú navegas
Por mi frente
        La lluvia no te moja
Eres la llama de agua
         La gota diáfana de fuego
Derrama sobre mis párpados
Yo veo a través de mis actos irreales
El mismo día que comienza
        Gira el espacio
Arranca sus raíces el mundo
No pesan más que el alba nuestro cuerpos
          Tendidos

EJE

Por el arcaduz de sangre
Mi cuerpo en tu cuerpo
        Manantial de noche
Mi lengua de sol en tu bosque
        Artesa tu cuerpo

Trigo rojo yo
                Por el arcaduz de hueso
Yo noche yo agua
                    Yo bosque que avanza
Yo lengua
            Yo cuerpo
                        Yo hueso de sol
Por el arcaduz de noche
                        Manantial de cuerpos
Tú noche del trigo
                Tú bosque en el sol
Tú agua que espera
                    Tú artesa de huesos
Por el arcaduz de sol
                    Mi noche en tu noche
Mi sol en tu sol
                Mi trigo en tu artesa
Tu bosque en mi lengua
                        Por el arcaduz del cuerpo
El agua en la noche
                    Tu cuerpo en mi cuerpo
Manantial de huesos
                    Manantial de soles

MAITHUNA

Mis ojos te descubren
Desnuda
        Y te cubren
Con una lluvia cálida
De miradas

                            *

Una jaula de sonidos
                    Abierta

En plena mañana
                    Más blanca
Que tus nalgas
                    En plena noche
Tu risa
          O más bien tu follaje
Tu camisa de luna
                         Al saltar de la cama
Luz cernida
                 La espiral cantante
Devana la blancura
                          Aspa
Xplantada en un abra

                         *

Mi día
          En tu noche
Revienta
             Tu grito
Salta en pedazos
                         La noche
Esparce
             Tu cuerpo
Resaca
             Tus cuerpos
Se anudan
Otra vez tu cuerpo

                         *

Hora vertical
                  La sequía
Mueve sus ruedas espejeantes
Jardín de navajas
                         Festín de falacias

Por esas reverberaciones
                    Entras
Ilesa
     En el río de mis manos

                    *

Más rápida que la fiebre
Nadas en lo oscuro
                    Tu sombra es más clara
Entre las caricias
                    Tu cuerpo es más negro
Saltas
       A la orilla de lo improbable
Toboganes de cómo cuando porque sí
Tu risa incendia tu ropa
                    Tu risa
Moja mi frente mis ojos mis razones
Tu cuerpo incendia tu sombra
Te meces en el trapecio del miedo
Los terrores de tu infancia
                         Me miran
Desde tus ojos de precipicio
                         Abiertos
En el acto de amor
                    Sobre el precipicio
Tu cuerpo es más claro
                    Tu sombra es más negra
Tú ríes sobre tus cenizas

                    *

Lengua borgoña de sol flagelado
Lengua que lame tu país de dunas insomnes
Cabellera
          Lengua de látigos
                         Lenguajes

Sobre tu espalda desatados
                    Entrelazados
Sobre tus senos
                    Escritura que te escribe
Con letras aguijones
                    Te niega
Con signos tizones
                    Vestidura que te desviste
Escritura que te viste de adivinanzas
Escritura en la que me entierro
                    Cabellera
Gran noche súbita sobre tu cuerpo
Jarra de vino caliente
                    Derramado
Sobre las tablas de la ley
Nudo de aullidos y nube de silencios
Racimo de culebras
                    Racimo de uvas
Pisoteadas
          Por las heladas plantas de la luna
Lluvia de manos de hojas de dedos de viento
Sobre tu cuerpo
                    Sobre mi cuerpo sobre tu cuerpo
Cabellera
          Follaje del árbol de huesos
El árbol de raíces aéreas que beben noche en el sol
El árbol carnal   El árbol mortal

                    *

Anoche
        En tu cama
Eramos tres:
          Tú yo la luna

                    *

Abro
    Los labios de tu noche
Húmedas oquedades
              Ecos
Desnacimientos:

           Blancor
Súbito de agua
           Desencadenada

                *

Dormir dormir en tí
O mejor despertar
              Abrir los ojos
En tu centro
            Negro blanco negro
Blanco
      Ser sol insomne
Que tu memoria quema
              (Y
La memoria de mí en tu memoria

                *

Y nueva nubemente sube
Savia
    (Salvia te llamo
Llama)
        El tallo
Estalla
    (Llueve
nieve ardiente)
              Mi lengua está
Allá
    (En la nieve se quema
Tu rosa)

          Está
Ya
  (Sello tu sexo)
                    El alba
Salva

Renga I7

Calina respiración de la colina, azoro
en el yerbal (bajo tu arco la noche duerme,
velan tus brasas): peregrinación serpentina:
la boca de la gruta, lápida que abre, abracadabra,
la luna: entro en la alcoba de párpados, tu ojo
disuelve los espejos: *hamam* de los muertos
y resurrección sin nombre propio:
soy un racimo de sílabas anónimas.

No hay nadie ya en la cámara subterránea
(caracola, amonita, casa de los ecos),
nadie sino esta espiral somnílocua,
escritura que tus ojos caminantes,
al proferir, anular—y te anulan, tú mismo
caracola, amonita, cuarto vacío, lector.

Renga II1

Aime criaient-ils aime gravité
des trés hautes branches tout bas pesait la
Terre aime criaient-ils dans le haut

(Cosí, mia sfera, cosí in me, sospesa, sogni: soffiavi,
tenera, un cielo: e in me cerco i tuoi poli, se la
tua lingua é la mia ruota, Terra del Fuoco, Terra di
Roubaud)

Naranja, poma, seno esfera al fin resuelta
en vacuidad de estupa. Tierra disuelta.

Ceres, Persephone, Eve, sphere
earth, bitter our apple, who at the last will hear
that love-cry? (1)

AUNQUE ES DE NOCHE (2)

Qué bien sé yo la fonte que mana y corre,
aunque es de noche
San Juan de la Cruz

I
La noche, a un tiempo sólida y vacía,
vasta demolición que se acumula
y sobre la erosión en que se anula
se edifica: la noche, la lejanía
que se nos echa encima, epifanía
al revés. Ciego, el ojo capitula
y se interna hacia adentro, hacia otra nula
noche mental. Acidia, no agonía.

Afuera, perforada de motores
y de faros, la sombra pesa menos
que este punto de sílabas, Azores
que suscito en la página. Los frenos
de un auto. La ciudad rota en mi frente
despeña su discurso incoherente.

VUELTA

A José Alvarado

(Mejor será no regresar al pueblo,
al edén subvertido...
R. L. V.)

Voces al doblar la esquina
                    voces

entre los dedos del sol
                              sombra y luz
casi líquidas
                    Silba el carpintero
Silba el nevero
                    silban
tres fresnos en la plazuela
                                      Crece
se eleva
        el invisible
follaje de los sonidos
                              Tiempo
tendido a secar en las azoteas
                                      Estoy
en Mixcoac
            En los buzones
se pudren las cartas
                        Aplastada
por el sol
            contra la cal del muro
la mancha de la bugambilia
                                      morada
caligrafía pasional
                    Camino hacia atrás
hacia lo que dejé
                    o me dejó
Memoria
        inminencia de precipicio
                                      balcón
sobre el vacío
                Camino
sin avanzar
            estoy rodeado
de ciudad
            Me falta aire
me falta cuerpo
                Mediodía
                              puño de luz
que golpea y golpea

                    Caer en una oficina
o sobre el asfalto
                    ir a parar a un hospital
la pena de morir
                    así
                          no vale la pena
Miro hacia atrás
                    ese pasante ya
no es sino bruma
                    Germinación de pesadillas
en el vientre de los cisnes
                          Catacumbas del gas
la electricidad, los albañales
                              los sueños
los deseos
          La vegetación de los desastres
madura en el subsuelo
                    Queman
millones y millones de billetes viejos
en el Banco de México
                          Arquitecturas
paralíticas
              barrios encallados
jardines en descomposición
                              médanos de salitre
baldíos
        campamentos de nómadas urbanos
latas tejamaniles plásticos trapos menstruales
costurones de cicatrices
                          callejas en carne viva
Pompas fúnebres
                    ante el escaparate de los ataúdes
putas
    pilares de la noche vana
                          En el bar a la deriva
al amanecer
              el deshielo del enorme espejo
donde los bebedores solitarios
                              contemplan

la disolución de sus facciones
                    El viento
en esquinas polvosas
                    hojea los periódicos
noticias de ayer
              más remotas
que una tablilla cuneiforme
                    hecha pedazos
Escrituras hendidas
              lenguajes en añicos
Se quebraron los signos
                        atl tlachinolli
                  se rompió
                        agua quemada
No hay centro
            plaza de congregación y consagración
no hay eje
            dispersión de los años
desbandada de los horizontes
                    Marcaron la ciudad
en cada puerta
              en cada frente
                    el signo
estamos rodeados
              He vuelto
adonde empecé
            ¿Gané o perdí?
                    (*Preguntas
qué leyes rigen «éxito» y «fracaso»
                        Flotan
los cantos de los pescadores
                    ante
la orilla inmóvil*
                Wang Wei al Prefecto Chang
desde su cabaña en el lago
                    Pero
yo no quiero una ermita intelectual
en San Angel o en Coyoacán)
                        Todo

202

es ganancia
                si todo es pérdida
Camino hacia mí mismo
                hacia la plazuela
el espacio está adentro
                no un *edén subvertido*
es un latido de tiempo
                los lugares son confluencias
aleteos de presencias en un espacio instantáneo
Silba entre los fresnos el viento
                                surtidores
luz y sombra casi líquidas
                voces de agua
brillan fluyen se pierden
                me dejan en las manos
un manojo de reflejos
                Camino sin avanzar
Nunca llegamos
                Nunca estamos donde estamos
No el pasado
                el presente es intocable

                México, a 2 de Junio de 1971

NOCTURNO DE SAN ILDEFONSO (3)

1

Inventa la noche en mi ventana
                otra noche.
otro espacio:
                fiesta convulsa
en un metro cuadrado de negrura.
                                Momentáneas
confederaciones de fuego.
                nómadas geometrías.
números errantes,
                del amarillo al verde al rojo
se desovilla la espiral.

                    Ventana:
lámina imantada de llamadas y respuestas,
caligrafía de alto voltaje,
mentido cielo/infierno de la industria
sobre la piel cambiante del instante.
Signos-semillas:
                    la noche los dispara,
suben,
        estallán allá arriba,
                            se precipitan,
ya quemados,
            en un cono de sombra,
                            reaparecen,
lumbres divagantes,
racimos de sílabas,
incendios giratorios,
                se dispersan,
                        otra vez añicos.
La ciudad los inventa y los anula.

Estoy a la entrada de un túnel.
Estas frases perforan el tiempo.
                        Tal vez
yo soy ése que espera al final del túnel.
Alguien ha plantado en mis párpados ·
un bosque de agujas magnéticas.
                        alguien
guía la hilera de estas palabras.
                    La página
se ha vuelto un hormiguero.
                        El vacío
se estableció en la boca de mi estómago.
                            Caigo
interminablemente sobre ese vacío.
                        Caigo sin caer.
Las manos frías, los pies fríos
                —pero los alfabetos
arden, arden.
            El espacio se hace y se deshace.

La noche insiste,
                    la noche palpa mi frente,
palpa mis pensamientos.
                              ¿Qué quiere?
2
Calles vacías, luces tuertas.
                    Gallera alborotada:
una cantina abierta todavía.
                              El espectro de un perro.
Busca, en el bote de basura,
                    el fantasma de un hueso.
Gorriones callejeros,
                    una bandada de niños
hace un nido
          con los periódicos que no vendieron.
Un taconeo lúgubre, lascivo:
                    El centelleo de una zapa-
tilla.
¿es la Muerte o la muerta?
México, D.F., circa 1930.

Los muros rojos de San Ildefonso,
                              negros a esta hora,
respiran: sol hecho tiempo,
                              tiempo hecho piedra,
piedra hecha cuerpo.
                    Vegetación de cúpulas.
Fachadas: pétreos jardines de símbolos.
Callada nación de las piedras:
                              embarrancados
en la proliferación rencorosa de casas enanas,
palacios adustos,
                    arquitecturas humilladas,
afrentados frontispicios.
                    Cúmulos,
madréporas insubstanciales.
                              Se acumulan
sobre las graves moles,
                    vencidas

no por la pesadumbre de los años: por el oprobio
del presente.

                              Plaza del Zócalo,
vasta como firmamento:
                    espacio diáfano,
frontón de ecos.
              Allí inventamos,
entre Aliocha K. y Julián S.,
                        sinos de relámpago
cara al siglo y sus camarillas.
                        Nos arrastra
el viento del pensamiento,
                    el viento verbal,
el viento que juega con espejos,
                        señor de reflejos,
constructor de ciudades especulares,
                          geometrías
suspendidas del hilo de la razón.
                        Gusanos gigantes:
amarillos tranvías apagados.
                    Eses y zetas:
un auto loco, insecto de ojos malignos.
                          Ideas,
frutos al alcance de la mano: arden.
                          Arde.
árbol de pólvora,
                el diálogo adolescente,
de pronto ya armazón chamuscado.
                        12 veces
golpea el puño de bronce de las torres.
                        La noche
estalla en pedazos,
                los junta luego y a sí misma
intacta, se une.
                Nos dispersamos,
no allá en la plaza con sus trenes quemados,
                            aquí,

sobre esta página: letras petrificadas.

3

El muchacho que camina por este poema,
entre San Ildefonso y el Zócalo,
es el hombre que lo escribe:
                              esta página
también es una caminata nocturna.
                                   Aquí encarnan
los espectros amigos,
                      las ideas se disipan.

El bien, quisimos el bien:
                          enderezar al mundo.
No nos faltó entereza:
                       nos faltó humildad.
Lo que quisimos no lo quisimos con inocencia.
Preceptos y conceptos,
                       soberbia de teólogos:
golpear con la cruz,
                     fundar con sangre,
levantar la casa con ladrillos de crimen.
Decretar la comunión obligatoria.
                                  Algunos
se convirtieron en secretarios de los secretarios
del Secretario General del Infierno.
                                     La rabia
se volvió filósofa,
                    su baba ha cubierto al planeta.
La razón descendió a la tierra,
tomó la forma del patíbulo
                           y es adorada por millones.
Enredo circular:
                 todos hemos sido,
en el Gran Teatro del Inmundo,
jueces, esbirros, mártires, testigos falsos
                                      y lo más vil:
audiencia que aplaude o bosteza en su butaca.

Conversiones, retractaciones, excomuniones,
reconciliaciones, apostasías, abjuraciones,
zig-zag de las demonolatrías y las androlatrías,
los embrujamientos y las desviaciones
                                    —mi historia:
¿son las historias de un error?
                          La historia es el error.
La verdad es aquello,
                    más allá de las fechas,
más acá de los nombres,
                          que la historia desdeña.
Lo inoído, lo mínimo, lo ínfimo.
                              El cada día,
latido anónimo y, no obstante, único.
                                El irrepetible
cada día idéntico a todos los días.
                              La verdad
es el fondo del tiempo sin historia.
                              El peso
del instante que no pesa:
                    unas piedras con sol,
vistas hace ya mucho y que hoy regresan,
                              piedras de tiempo
que son también de piedra bajo este sol de tiempo,
                                                sol
que viene de un día sin fecha,
                          sol de palabras
que ilumina estas palabras,
                    sol que se apaga al nom-
brarlas.

Entre la acción y la contemplación,
                              el hacer y el ver,
escogí el acto de palabras:
                          hacerlas, habitarlas,
dar ojos al lenguaje.
                    La poesía no es la verdad:
es la resurrección de los instantes,
                              el error de la historia

transfigurando en la verdad del tiempo no fechado.
                                                    La
poesía,
como la historia, se hace
                    —la poesía,
como la verdad, se ve.
                    La poesía:
encarnación del sol-sobre-las-piedras en un nombre.
disolución del nombre en un más allá de los nombres.

La poesía,
            puente colgante entre historia y verdad,
no es camino hacia esto o aquello:
                                    es ver
la quietud en el movimiento,
                        el tránsito en la quietud.
La historia es el camino:
                    no va a ninguna parte.
Todos lo caminamos:
                    la verdad es caminarlo.
No vamos ni venimos:
                    estamos suspendidos
en las manos del tiempo.
                    La verdad es sabernos,
desde el origen, suspendidos:
                        fraternidad sobre el va-
cío.
4
Las ideas se disipan,
                    quedan los espectros:
verdad de lo vivido y padecido.
Queda un sabor casi vacío:
                            el tiempo
—furor compartido,
                    el tiempo
—olvido compartido,
                    al fin transfigurado
en la memoria y sus encarnaciones.
                                    Queda

el tiempo hecho cuerpo repartido: lenguaje.

En la ventana,
                    simulacro guerrero,
                                        se enciende y apaga
el cielo comercial de los anuncios.
                                        Atrás,
apenas visibles:
                    las constelaciones verdaderas.
Aparece,
            entre tinacos, antenas, azoteas,
columna líquida,
                    más mental que corpórea,
cascada de silencio:
                        la luna.
Ni fantasma ni idea
                        fue diosa y es hoy claridad
errante.

Mi mujer está dormida.
                        También es luna,
claridad que transcurre
                        —no entre escollos de nubes,
entre las peñas y las penas de los sueños:
                                            también es
alma.
Fluye bajo sus ojos cerrados,
                                desde su frente se des-
peña
hasta sus pies,
                en sí misma se desploma
y brota de sí misma,
                        sus latidos la esculpen,
se inventa al recorrerse,
                            se copia al inventarse,
brazo de mar
            se duerme entre las islas de sus pechos,
su vientre es la laguna

210

                              donde se desvanecen
la sombra y sus vegetaciones,
                              fluye por su talle,
sube, desciende,
                    en sí misma se esparce,
atada a su fluir y sujeta a su forma:
                              también es cuerpo.
Luna: alma errante en un cuerpo dormido.
                              La verdad
es el oleaje de una respiración
y las visiones que miran unos ojos cerrados:
palpable misterio de la persona.

La noche está a punto de desbordarse.
                              Clarea:
el horizonte se ha vuelto acuático.
                         Despeñarse
desde la altura de esta hora:
                    ¿morir será caer o subir,
una sensación o una cesación?
                         Cierro los ojos,
oigo en mi cráneo los pasos de mi sangre,
                                        oigo
pasar el tiempo por mis sienes.
                         Todavía estoy vivo.
El cuarto se ha enarenado de luna.
Mujer, fuente en la noche.
                    Yo me fío a su fluir sosega

México, a 10 de Marzo de 1974

EL MONO GRAMATICO
(fragmentos)

4

La fijeza es siempre momentánea. ¿Cómo puede serlo *siempre*? Si lo fuese, no sería momentánea —o no sería fijeza. ¿Qué quise decir con esa frase? Probablemente tenía en mientes la oposición entre movimiento e inmovilidad, una oposición que el adverbio *siempre* designa como incesante y universal: se extiende a todas las épocas y comprende a todas las circunstancias. Mi frase tiende a disolver esa oposición y así se presenta como una taimada transgresión del principio de identidad. Taimada porque escogí la palabra *momentánea* como el complemento de *fijeza* para atenuar la violencia del contraste entre movimiento e inmovilidad. Una pequeña superchería retórica destinada a darle apariencia de plausibilidad a la infracción de la lógica. Las relaciones entre la retórica y la moral son inquietantes: es turbadora la facilidad con que el lenguaje se tuerce y no lo es menos que nuestro espíritu acepte tan dócilmente esos juegos perversos. Deberíamos someter el lenguaje a un régimen de pan y agua, si queremos que no se corrompa y nos corrompa (Lo malo es que régimen-de-pan-y-agua es una expresión figurada como lo es la-corrupción-del-lenguaje-y-sus-contagios.) Hay que destejer (otra metáfora) inclusive las frases más simples para averiguar qué es lo que encierran (más expresiones figuradas) y de qué y

211

cómo están hechas (¿de qué está hecho el lenguaje? y, sobre todo, ¿está hecho o es algo que perpetuamente se está haciendo?). Destejer el tejido verbal: la realidad aparecerá. (Dos metáforas) ¿La realidad será el reverso del tejido, el reverso de la metáfora —aquello que está del otro lado del lenguaje? (El lenguaje no tiene reverso ni cara ni lados). Quizá la realidad también es una metáfora (¿de qué y/o de quién?). Quizá las cosas no son cosas sino palabras: metáforas, palabras de otras cosas. ¿Con quién y de qué hablan las cosas-palabras? (Esta página es una saco de palabras-cosas). Tal vez, a la manera de las cosas que hablan con ellas mismas en su lenguaje de cosas, el lenguaje no habla de las cosas ni del mundo: habla de sí mismo y consigo mismo. (Thoughts of a dry brain in a dry season). Ciertas realidades no se pueden enunciar pero, cito de memoria, «son aquello que se muestra en el lenguaje sin que el lenguaje lo enuncie». Son aquello que el lenguaje no dice y así dice. (Aquello que se muestra en el lenguaje no es el silencio, que por definición no dice, ni aquello que diría el silencio si hablase, si dejase de ser silencio, sino...) Aquello que se dice en el lenguaje sin que el lenguaje lo diga, es decir (¿es decir?): aquello que realmente se dice (aquello que entre una frase y otra, en esa grieta que no es ni silencio ni voz, aparece) es aquello que el lenguaje calla (la fijeza es siempre momentánea).

Vuelvo a mi observación inicial; por medio de una sucesión de análisis pacientes y en dirección contraria a la actividad normal del hablante, cuya función consiste en producir y construir frases, mientras que aquí se trata de desmontarlas y desacoplarlas —desconstruirlas, por decirlo así—, deberíamos remontar la corriente, desandar el camino y de expresión figurada en expresión figurada llegar hasta la raíz, la palabra original, primordial, de la cual todas las otras con metáforas.

7

Espesura indescifrable de líneas, trazos, volutas, mapas: discurso del fuego sobre el muro. Una superficie inmóvil recorrida por una claridad parpadeante: temblor de agua transparente sobre el fondo quieto del manantial iluminado por invisibles reflectores. Una superficie inmóvil sobre la que el fuego proyecta silenciosas, rápidas sombras convulsas: bajo las ondulaciones del agua clarísima se deslizan con celeridad fantasmas oscuros. Uno, dos, tres, cuatro rayos negros emergen de un sol igualmente negro, se alargan, avanzan, ocupan todo el espacio que oscila y ondula, se funden entre ellos, rehacen el sol de sombra de que nacieron, emergen de nuevo de ese sol —como una mano que se abre, se cierra y una vez más se abre para transformarse en una hoja de higuera, un trébol, una profusión de alas negras antes de esfumarse del todo. Una cascada se despeña calladamente sobre las lisas paredes de un dique. Una luna carbonizada surge de un precipicio entreabierto. Un velero con las velas hinchadas echa raíces en lo alto y, volcado, es un árbol invertido. Ropas que vuelan sobre un paisaje de colinas de hollín. Continentes a la deriva, océanos en erupción. Oleajes, oleajes. El viento dispersa las rocas ingrávidas. Un atlante estalla en añicos. Otra vez pájaros, otra vez peces. Las sombras se enlazan y cubren todo el muro. Se desenlazan. Burbujas en el centro de la superficie líquida, círculos concéntricos, tañen allá abajo campanas sumergidas. Esplendor se desnuda con una mano sin soltar con la otra la verga de su pareja. Mientras se desnuda el fuego de la chimenea la cubre de reflejos cobrizos. Ha dejado su ropa al lado y se abre paso nadando entre las sombras. La luz de la hoguera se enrosca en los tobillos de Esplendor y asciende entre sus piernas hasta iluminar su pubis y su vientre. El agua color de sol moja su vello y penetra entre los labios de la vulva. La lengua templada de la llama sobre la humedad de la crica; la lengua entra y palpa a ciegas las paredes palpitantes. El agua de muchos dedos abre las valvas y frota el obstinado botón eréctil escondido entre repliegues chorreantes. Se enlazan y desenlazan los reflejos, las llamas, las ondas. Sombras trémulas sobre el espacio que respira como un animal, sombras de una mariposa doble que abre, cierra, abre las alas. Nudos. Sobre el cuerpo tendido de Esplendor sube y baja el oleaje. Sombra de un animal bebiendo sombra entre las piernas abiertas de la muchacha. El agua: la sombra; la luz: el silencio. La luz: el agua; la sombra: el silencio. El silencio: el agua; la luz: la sombra.

NOTAS

I

(1) Octavio Paz, *Puertas al campo*, Ed. Seix Barral, Barcelona, 1972, pág. 220. A partir de ahora se cita como *Puertas*.

(2) Zdenek Kourim, *Marcel Duchamp, visto por Octavio Paz*. En «Cuadernos Hispanoamericanos», Madrid, mayo-junio, 1972 (núm. 263-264), págs. 520 y sigs.

(3) «Ello no supone, en absoluto, rechazar por nuestra parte la incorporación de elementos irracionales del lenguaje en el verso, mecanismo que ha dotado posiblemente a la lírica contemporánea de su mayor originalidad y riqueza; sino sugerir que el cultivo deliberado de la incomunicación y de un sistema de referencias extrañas a un lector culto occidental pueden, en el caso de Paz, propender a una disminución de aquella intensa palpitación existencial que tanta autenticidad daba a su poesía anterior». (José Olivio Jiménez. *Antología de la poesía hispanoamericana contemporánea* (1914-1970), Alianza Editorial, Madrid, 1971. pág. 476.

(4) Octavio Paz, *Corriente alterna*, Ed. Siglo XXI, México, 1968, 2ª ed. pág. 8. A partir de ahora se cita como CA.

(5) «Si la literatura es expresión está condenada a la complejidad y a la ambigüedad. En literatura no hay verdades simples, y cada obra contiene su negación, su crítica. Esto es lo que distingue a la literatura moderna de la antigüedad. Quizá Homero sea simple, pero Cervantes es complejo, problemático, ambiguo». (Octavio Paz, *Sólo a dos voces* (conversación con Julián Ríos), Ed. Lumen, Barcelona, 1973, sin paginar. A partir de ahora se cita como *Solo*.

(6) Marcos Ricardo Barnatán, *Octavio Paz, Literatura y experimentación* (entrevista), «Informaciones», Madrid, 16 de mayo de 1974.

(7) J. Lezama Lima, *La expresión americana*, Alianza Editorial, Madrid, 1969. En las páginas 46-47 escribe: «Primero hay una tensión en el barroco; segundo, un platonismo, fuego originario que rompe los fragmentos y los unifica; tercero, no es un estilo degenerescente, sino plenario que, en España y en la América española,

representa adquisiciones de lenguaje, tal vez únicas en el mundo, muebles para la vivienda, formas de vida y de curiosidad, misticismo que se ciñe a nuevos módulos para la plegaria, manera del saboreo y del tratamiento de los manjares, que exhalan un vivir completo, refinado y misterioso, teocrático y ensimismado, errante en la forma y arraigadísimo en sus esencias».

(8)   «¿Por qué no imaginar una civilización en que los hombres, capaces al fin de afrontar sin temor su mortalidad, celebren la conjunción vital vida-muerte no como dos principios enemigos, sino como una sola realidad?» (Octavio Paz, *El signo y el garabato*, Ed. Joaquín Mortiz, México, 1973. págs. 29. A partir de ahora se cita como *Signo*.

(9)   CA, págs. 72-73

(10)   «En   México, entre 1940 y 1950 aproximadamente, atravesamos por un período de vacío. Desaparecidas las grandes revistas (la última fue *El hijo Pródigo*), silenciosa la generación de *Contemporáneos* —isla de lucidez en un mar de confusiones—, la crítica oscilante entre el vituperio y el incienso, sólo dos o tres veces, en la poesía y la pintura, se opusieron al nacionalismo y al sistema».

II

(1)   Octavio Paz, *Las peras del olmo*, Ed. Seix Barral, Barcelona, 1971, págs. 25. A partir de ahora se cita como *Peras*.

(2)   Antonio Tovar, *Octavio Paz, poeta actual*, «Gaceta Ilustrada», Madrid, 24 de noviembre de 1974.

(3)   *Puertas*, pág. 214

(4)   *Puertas*, pág. 172

(5)   Carlos Gortari, *Literatura hispanoamericana*, Ed. Doncel, Madrid, 1971, pág. 92

(6)   Octavio Paz, *los hijos del limo*, Ed. Seix Barral, Barcelona, 1974, pág. 208. A partir de ahora se cita como *Limo*.

(7)   *Puertas*, pág. 70

(8)   «Hijo de México, hermano de América Latina, hijastro de España, hijo adoptivo de Francia, Inglaterra e Italia, huésped familiar y afectivo del Japón y la India, bastardo (como hoy lo somos todos) de los Estados Unidos, Paz, abierto a todos los contactos de la civilización, pertenece a ese reducido grupo de figuras (algunos españoles: Cernuda, Buñuel, Goytisolo) que nos aseguran que los ghettos de la cultura castellana no son eternos» (Carlos Fuentes, *El tiempo de Octavio Paz*, Prólogo a la edición española de *Los signos en rotación*: Alianza Editorial, Madrid, 1971. A partir de ahora se cita como *Signos*).

(9)   *Peras*, pág. 38

(10)   CA, pág. 189

(11)   *El arco y la lira*, 1956 (Citado en *Solo*).

(12)   Julián Ríos, prólogo a *Sólo a dos voces*.

(13) *Signos*, pág. 115. 13b: CA, pág. 33
(14) *Signos*, pág. 331
(15) *Limo*, págs. 78-79
(16) *Signo*, págs. 164-65
(17) Esta es una carencia insistentemente señalada por diferentes críticos y en muy distintas ocasiones. Ultimamente, la colección *El escritor y la crítica* (Ed. Taurus, Madrid), que se preocupa por editar antologías críticas sobre diversos escritores y temas literarios de nuestra lengua, ha mostrado esta deficiencia: todos sus compiladores lamentan la inexistencia de trabajos que analicen concretamente la obra de esos escritores, al margen de significaciones históricas e ideológicas.
(18) *Signos*, pág. 109
(19) *Limo*, pág. 60
(20) *Signos*, 308
(21) *Sólo* (sin paginar)
(22) *Signo*, pág. 165
(23) *Signos*, pág. 8
(24) «A partir del romanticismo, tradición no significa ya continuidad por repetición y variaciones dentro de la repetición; la continuidad asume la forma del salto y tradición se vuelve un sinónimo de sucesión de cambios y rupturas. Falacia romántica: la obra impar es el reflejo del yo excepcional. Creo que, ahora, estas ideas tocan a su fin. Dos indicios significativos, entre otros muchos: el surrealismo al redescubrir a la inspiración y convertirla en el eje de la escritura, puso entre paréntesis a la noción de autor; por su parte, los poetas de lengua inglesa, Eliot y Pound, han mostrado que la traducción es una operación indistinguible de la creación poética» (*Signo*, pág. 135)
(25) Carlos Gortari, *op. cit.*, pág. 92
(26) *Puertas*, pág. 81
(27) CA, pág. 168
(28) *Signos*, pág. 231
(29) CA, pág. 110
(30) Matsúo Bashô. *Sendas de Oku*. Ed. Barral. Barcelona, 1970 (trad. O. Paz y E. Hayashiya), pág. 23. A partir de ahora se cita como *Sendas*.
(31) *Sólo* (sin paginar)
(32) *Sendas*, pág. 11
(33) Octavio Paz, Jacques Roubaud, Edoardo Sanguineti, Charles Thomlison, *Renga*, Ed. Gallimard, París, 1971.
(34) *Signos*, pág. 305-306
(35) *Signos*, pág. 304
(36) *Limo*, pág. 124
(37) Ca, pág. 220
(38) *El Laberinto de la Soledad*, 1950. Citado en *Sólo*.
(39) *Peras*, págs. 10-11
(40) *Signo*, pág. 155-56

218

(41)   Félix Grande. *Mi música es para esta gente.* Ed. Seminarios y ediciones. Madrid, 1975.
(42)   William Carlos Williams. *Veinte poemas* (trad. y prólogo de Octavio Paz). Ed. Era, México, 1973, págs. 11-12
(43)   Juan Pedro Quiñonero. *Octavio Paz: entre poesía y tecnología* (entrevistas). «Informaciones», Madrid, 16 de mayo de 1974.
(44)   *Puertas,* pág. 141
(45)   *Signos,* pág. 158
(46)   Saúl Yurkievich, *Fundadores de la nueva poesía latinoamericana,* Ed. Seix Barral, Barcelona, 1971
(47)   *Limo,* pág. 218
(48)   *Limo,* pág. 127
(49)   José Luis L. Aranguren, en el volumen colectivo: *Unamuno,* Ed. Taurus, Col. El escritor y la crítica, Madrid, 1974.
(50)   E. Miret Magdalena. *Nuestra liberación por la cultura,* «Triunfo», Madrid, 19 de julio de 1975: «Un país que empobrece su lenguaje, como le ocurre al nuestro, es un país condenado a la ausencia de libertad y de decisión, porque «en el lenguaje humano aparece casi siempre la figura psicológica de la personalidad», como dice el psicólogo soviético Rubinstein *(Principios de psicología general,* México, 1967). Si el lenguaje y su capacidad son pobres, nuestra personalidad, por muchos oropeles exteriores de que se revista, será en el fondo también pobre».
(51)   *Limo,* pág. 185
(52)   *Signo,* pág. 157

III

(1)   «Los dos poetas en lengua castellana que mejor ejemplifican la correspondencia entre el sistema de representación y la concepción del mundo contemporáneos son, según creo, César Vallejo y Octavio Paz. En Octavio Paz esta reciprocidad es aún más explícita que en Vallejo, porque el pensamiento metafórico, el mito, va siempre de la mano de la teoría». (Saúl Yurkievich, *op cit,* pág. 203)
(2)   *Sólo,* sin paginar.
(3)   Pere Gimferrer, *Convergencias,* «Plural», núm. 43, México (el subrayado es mío), abril, 1975, págs. 65 y sigs.
(4)   «Plural», núm. 18, marzo, 1973 («Cuatro o cinco puntos cardinales»)
(5)   Antes, en México, había conocido a Serge y a Péret.
(6)   *¿Aguila o sol?*
(7)   María Embeita, *Octavio Paz: poesía y metafísica.* (entrevista). «Insula», Madrid, julio-agosto, 1968, págs. 12-14.
(8)   *Limo,* 192-93
(9)   En diversas ocasiones, en artículos y ensayos, Octavio Paz se ha referido a la influencia del pensamiento analógico de Charles

Fourier en la estructuración de su crítica y de su concepción de la poesía.

(10) María Embeita, art. cit.

(11) Citado por Paúl Westheim en *Arte antiguo de México*, Ed. Era, México, 1970, pág. 385. Véase también: Angel M.ª Garibay, *Historia de la literatura náhuatl*. Ed. Porrúa, México, 1953.

(12) Luis Rosales, *La imaginación configurante*, «Cuadernos Hispanoamericanos», Madrid, mayo-junio, 1971, núm. 257-258. pág. 255.

(13) *Limo*, pág. 203

(14) *Signos*, pág. 186

(15) Félix Grande, op. cit.

(16) *Teatro de Signos y Transparencias* (recopilación textos de Octavio Paz por Julián Ríos), Ed. Fundamentos, Madrid, 1974. Sin paginar.

(17) José Luis Jover, *Octavio Paz o el festín de la palabra*, «Madrid», Madrid, 17 de marzo de 1971: «Lo que caracteriza al poema —dice Paz— es su necesaria dependencia de la palabra, tanto como su lucha por trascenderla».

(18) Guillermo de Torre, *Historia de las literaturas de vanguardia*, Ed. Guadarrama, Col. Punto Omega, Madrid, 1971, tomo II, págs. 109-110.

(19) *Signo*, pág. 17

(20) Id, id.

(21) María Embeita, art. cit.

(22) Yurkievich, op. cit., pág. 224.

(23) *Signo*, pág. 138

(24) *Signo*, pág. 136-37

(25) *Sólo* (sin paginar).

(26) *El mono gramático*, Ed. Seix Barral, Barcelona, 1974.

(27) «Plural», núm. 12, México.

(28) Octavio Paz, *Traducción: literatura y literalidad*, Tusquets, Barcelona, 1971, pág. 17. A partir de ahora se cita como *Traducción*.

(29) *Traducción*, pág. 9

ANTOLOGIA

(1) Lógicamente, *Renga* no puede entenderse si no se lee completo. Recojo esta muestra por parecerme indispensable una referencia, siquiera mínima, a tan singular experiencia. Todas las citas y todos los poemas recogidos, salvo que se advierta lo contrario, coinciden con las versiones de *La centena*, antología preparada por el propio Octavio Paz para Barral Editores (Barcelona, 1969).

(2) Publicado en «Plural», núm. 30, México, marzo 1974.

(3) Publicado en «Plural», núm. 36, México, septiembre, 1974. A

pie de página se recoge la nota siguiente: «La Escuela Nacional Preparatoria ocupaba, en 1932, el edificio de San Ildefonso, el antiguo colegio de los jesuitas»

La versión que publicamos, sin embargo, ha sido corregida posteriormente por el propio autor.

PROCEDENCIAS

Los textos que se recogen en la antología proceden de los siguientes libros poéticos

Allá, donde terminan las fronteras... *(Libertad bajo palabra)*
Las Palabras *(Libertad bajo palabra)*
El prisionero *(Libertad bajo palabra)*
Más allá del amor *(Libertad bajo palabra)*
Paisaje *(Libertad bajo palabra)*
Hace años, con piedrecitas... *(¿Aguila o sol?)*
Llano *(¿Aguila o sol?)*
Hacia el poema *(¿Aguila o sol?)*
Piedra de sol (fragmento) *(¿Aguila o sol?)*
La palabra escrita *(Salamandra)*
La palabra dicha *(Salamandra)*
Homenaje y profanaciones *(Salamandra)*
Golden Lotus *(Ladera Este)*
Viento entero *(Ladera Este)*
Eje *(Ladera Este)*
Maithuna *(Ladera Este)*
Renga 17, III *(Renga)*
Aunque es de noche *(Revista «Plural»)*
Vuelta *(Sólo a dos voces)*
Nocturno de San Ildefonso *(última versión del autor)*
El Mono Gramático (fragmentos) *(El Mono Gramático)*

221

INDICE DE ILUSTRACIONES

ANTOLOGIA

INDICE